BT
REPORT

국내외 무인시스템 산업분석보고서 2022개정판

저자 비피기술거래 비피제이기술거래

KIOSK

㈜ 비티타임즈

<제목 차례>

Ⅰ. 서론

I. 서론

[그림 1] 무인편의점

최근 발전된 기술을 기반으로 사람 간의 직접적인 상호작용을 최소화하거나 아예 없앤 비대면 서비스가 증가하고 있다. 로봇, 컴퓨터 비전, 인공지능, 가상현실, 센서 등 각종 기술의 발전은 사람을 굳이 대면하지 않아도 원하는 바를 바로 충족시킬 수 있는 환경을 마련해주며, 클릭 한 번이면 즉각 접속할 수 있는 디지털 라이프스타일에 익숙한 사용자는 이러한 비접촉 교류를 자연스럽게 받아들이고 있다. 그 결과, 무인 매장, 무인 공장, 무인 운전 등등 사람의 힘이 필요 없는 자동화 기술은 인터넷 확산과 더불어 우리 삶 속으로 거침없이 들어오고 있다.

특히 코로나19로 인해 비대면이 확산되면서 무인 시스템은 우리의 삶으로 더욱 빠르게 다가왔다. 키오스크의 경우 코로나19 이전에는 대형 패스트푸드점 이외의 장소에서는 쉽게 찾아볼 수 없었지만, 코로나19 이후에는 소규모 점포에서조차 키오스크를 쉽게 찾아볼 수 있다. 이러한 무인 시스템의 확산으로 인해 인공지능, 사물인터넷 등의 기술도 함께 발전하고 있다.

본 보고서에서는 무인시스템의 정의와 핵심 기술에 대해 살펴보고 무인시스템의 문제점을 통해 향후 무인시스템이 나아갈 방향을 살펴보고자 한다. 또한, 현재 무인시스템의 응용현황, 시장동향, 관련 기업 동향을 통해 현재 무인시스템 기술의 위치와 무인시스템 시장의 미래를 전망해보고자 한다.

II. 개요

II. 개요

1. 무인시스템 정의

무인화 기술은 운용 요원이 없이 스스로 움직이도록 해주는 기술로, 컴퓨터 및 인공지능, 네트워크의 발전으로 주행, 식별 등 산업 전반 활동에서 인간의 참여 없이 이루어지고 있다.

2. 무인시스템 핵심 기술

무인시스템의 적용분야는 항공기, 로봇, 자동차, 선박, 인공위성뿐 아니라 각종 사회 인프라도 포함된다. 이에 따라 각 분야에서 무인 시스템 구축에 필요한 핵심기술이 중요해지고 있다. 본 장에서는 무인시스템을 구축하는데 필요한 핵심기술들을 알아본다.

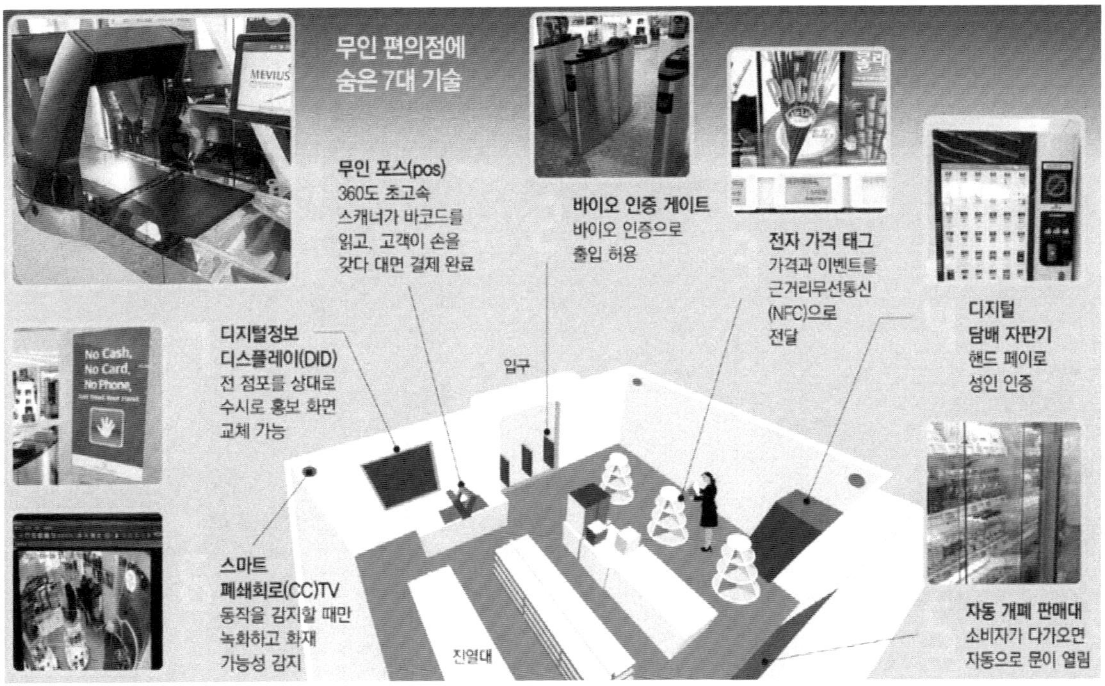

[그림 2] 무인편의점에 숨은 7대 기술

가) 무인포스(키오스크)

'키오스크'라고도 불리는 이 무인포스는 고객이 직접 주문과 결제를 할 수 있는 터치스크린 방식의 단말기이다. 키오스크는 정부기관이나 지방자치단체, 은행, 백화점, 전시장 등 공공장소에 설치되어 동적 교통정보 및 대중교통정보, 경로안내, 요금카드 배포, 예약업무, 각종 전화번호 및 주소 안내 정보제공, 행정절차나 상품정보, 시설물의 이용방법 등을 제공한다.

터치스크린과 사운드, 그래픽, 통신카드 등 첨단 멀티미디어 기기를 활용하면 음성서비스, 동영상 구현 등 이용자에게 효율적인 정보를 제공하는 무인 종합정보 안내 시스템을 구현할 수 있다.

고객 편의성 상승에 따라 매출 증가 효과도 관찰된다. 하버드 비즈니스 리뷰는 맥도날드, 타코벨 등에서 키오스크나 모바일 앱 주문을 도입한 결과 직원 주문보다 매출이 소폭 증가하는 효과를 얻었다고 발표했다. 이용자들이 비대면 주문을 통해 창구에서 일일히 주문하기 어려운 추가 토핑이나 추가 메뉴 등을 편하게 주문하게 됨으로써 매출이 늘었다는 것이다.[1]

최근 코로나19는 산업 전반에 큰 타격을 주었으나 한편으로는 무인화 산업을 가속화한 게임 체인저가 되었다. 키오스크는 코로나 19 이전 대형 패스트푸드점 이외의 장소에서 쉽게 찾아볼 수 없었지만, 이제는 소규모 점포에서 찾아볼 수 있을 정도로 대중화되었다. 이렇듯 비대면 서비스가 일상으로 자리잡게 되면서 키오스크 보급률은 자연스럽게 상승하였다. 그 결과 음식점·편의점·마트 등 다양한 업종 내 오프라인 매장에서 고객이 키오스크를 통해 직접 결제하는 모습을 쉽게 찾아볼 수 있다.

코로나 19 가 종식되더라도 키오스크 시장의 잠재력은 충분하다. 키오스크가 단순히 감염병에 대한 고객 불안요소 해소, 상업시설 보호에 그치지 않을 것이기 때문이다. 키오스크의 성장 모멘텀은 세 가지로 기대된다. 최저임금 인상 부담에 따른 키오스크 도입률 증가, 오프라인 매장의 무인화, 키오스크의 플랫폼화, 편의성 개선, 그리고 키오스크가 더 편리하다고 느끼는 주 소비연령층이 확대가 바로 그것이다.

① 최저임금 인상 부담에 따른 키오스크 도입률 증가

최저임금이 인상되면서 인건비 부담이 증가했다. 특히 2017년에서 2019년까지 최저임금 인상의 폭은 무려 30%에 달해 매출원가에서 인건비가 차지하는 비중이 2017년 21%에서 2019년 29%로 증가했다. 이에, 이 같은 인건비 부담을 줄이기 위해 기존에 계산직원으로 운용했던 인력의 수를 줄이거나 없애고 키오스크로 대체하는 트랜드가 시작되었다.

하루 11시간을 운영하는 일반 점포에서 직원 한 명을 최저임금으로 고용하는데 필요한 비용을 단순 계산해보면 월 20일 근무 기준 월 201만원, 연간 2,418만 원이다(2022년 최저시급 9,160원 기준) . 반면, 키오스크를 도입하는 경우 고장에 의한 유지보수를 제외하고 평균 500만원 가량의 초기비용만 발생할 뿐이다.

---

1) 무인화 시대, 모바일 플랫폼 역할 확대, 삼성증권, 2019.10.11

인건비와 관련해 추가적으로 발생 가능한 야간 근로수당, 주휴수당 등 현실적인 비용들을 모두 포함할 경우 키오스크 대체에 따른 고정비 절감 효과는 앞서 계산한 것 보다 더 클 것으로 예상된다.

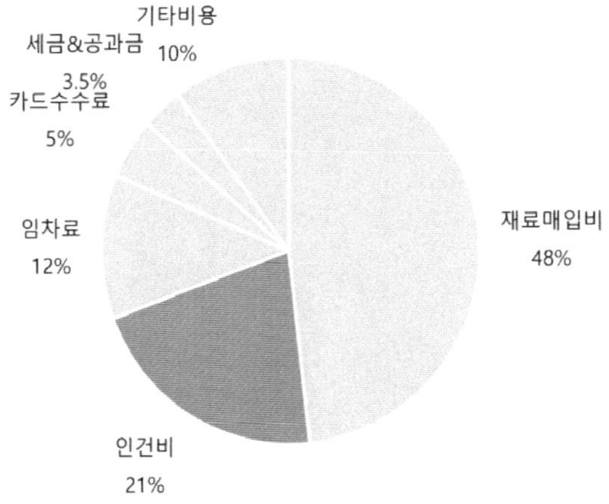

[그림 3] 2017년 외식업체 매출원가 대비 인건비 비중

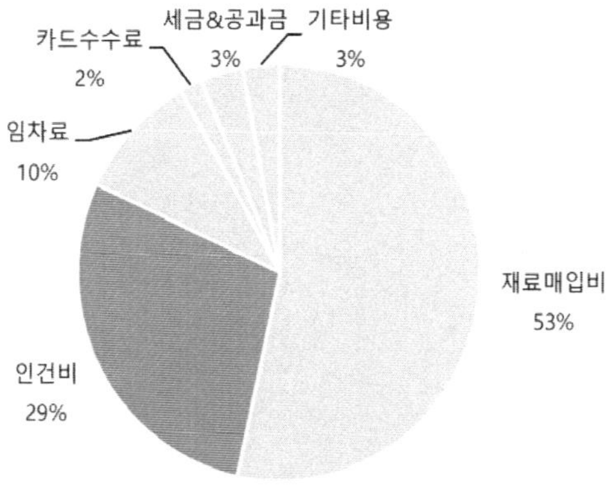

[그림 4] 2019 년 외식업체 매출원가 대비 인건비 비중

② 오프라인 매장의 무인화

소비 트렌드가 급속히 온라인 플랫폼으로 이동하며 많은 업체들이 이전과 같은 비용구조로 오프라인 매장을 운영할 이유가 사라지고 있다. 특히 요식업에 종사중인 소상공인들의 경우 푸드 딜리버리 업체에 수수료를 지불하는 등 추가적인 비용이 발생하는 가운데 오프라인 매장 내 불필요한 고정비 절감이 절실한 상황이다. 따라서 매장내 결제 업무를 맡은 종업원수를 줄이거나 없애고 키오스크로 대체해 고정비를 절감하는 효과를 기대할 수 있다. [2)]

2) 엘리비젼(276240), 하이투자증권, 2021.06.10

나) 스마트 주문[3)]

최근 모바일 플랫폼을 활용한 매장 주문/결제도 점차 확산되고 있다. 키오스크를 이용한 주문의 경우 초기 설치비나 운영비가 들어가지만, 모바일 플랫폼은 이용자의 스마트폰을 활용하여 주문과 결제를 하기 때문에 키오스크 대비 설치/운영비가 적게 들어간다는 장점이 있다. 매장 입구나 테이블에 QR코드만 인쇄하여 붙여 넣으면 이용자들이 위챗, 알리페이 등 앱을 통해 주문과 결제까지 할 수 있기 때문이다.

[그림 5] 중국 KFC에서 도입한 QR 주문/결제 시스템

QR코드를 활용한 모바일 플랫폼 주문/결제는 중국이 전세계에서 가장 앞서 나가고 있다. 텐페이와 알리페이 덕분에 중국 시장에서 QR코드 이용이 하나의 문화로 자리잡았기 때문이다. 텐센트가 2017년 출시한 '미니 프로그램' 생태계 역시 모바일 주문 플랫폼 구축에 기여하고 있다. 미니 프로그램은 위챗 내에 다운로드 및 설치 없이 사용이 가능한 어플리케이션으로, 개발자나 사업자들이 앱 개발에 필요한 시간과 노력, 비용을 크게 절감시켜준다. 이에 KFC, 스타벅스 같은 글로벌 프랜차이즈뿐 아니라 현지 딤섬집 같은 중소형 음식점도 손쉽게 미니 프로그램을 통해 모바일 주문 플랫폼을 구축할 수 있게 되었다.

국내에서도 QR코드 기반 스마트 주문 시장이 태동하고 있다. 네이버, 카카오, NHN 등 간편결제 플랫폼 기업들은 각각 스마트 주문 서비스를 출시했다. 가장 먼저 서비스를 출시한 기업은 NHN 페이코이다. 페이코는 NHN KCP와의 '페이코 오더'를 출시하였다. 페이코오더에서는 QR코드 인식을 통한 매장 주문뿐 아니라, 픽업 음식이나 배달 음식 주문도 가능한 것이 특징이다.

---
3) 무인화 시대, 모바일 플랫폼 역할 확대, 삼성증권, 2019.10.11

[그림 6] 페이코 오더

네이버 역시 주문 서비스를 '테이블 주문'이라는 이름으로 출시했다. 이후 네이버는 테이블 주문을 스마트 주문이라는 명칭으로 변경했다. 최근 네이버는 검색창에 '네이버주문'을 입력하면 현재 위치를 기반으로 주변 맛집을 더 쉽고 빠르게 알려주고 주문까지 할 수 있도록 대폭 개선했다.4)

[그림 7] 네이버 스마트 주문

카카오 역시 카카오톡을 이용한 주문서비스를 시작했다. 카카오톡은 '카카오톡 주문하기' 기능과 챗봇 주문 기능을 제공하고 있다. 카카오톡 챗봇 주문의 경우 카카오톡 페이와 연동돼 주문, 결제, 적립을 언택트 형식으로 처리할 수 있다는 장점이 있다.5)

4) "스마트주문→네이버주문" 확대…수수료 공짜인 '비대면주문' 왜 키울까, 뉴스원, 2021.04.05

스마트오더 서비스는 온라인 결제를 700조원 오프라인 결제 시장으로 이어주는 교두보가 될 수 있다. 이에 따라 간편결제 3사 외에도 KG이니시스 같은 PG사, 삼성, 신한, 롯데카드 등 신용카드사 등 오프라인 시장의 결제 헤게모니를 가져가고 싶은 다양한 업체들이 스마트오더 시장에 뛰어들고 있다. 결제 관련 업체뿐만 아니라 커피 프랜차이즈들도 자체적인 스마트오더 서비스를 이미 출시하고 있다. 하지만, 이용자들은 평균적으로 2~3개의 신용카드를 사용하며, 카페 역시 한 두 곳만 고정적으로 가지 않는다. 따라서 장기적으로는 이들을 모두 아우를 수 있는 간편 결제 플랫폼 업체가 스마트 오더 시장을 통합할 가능성이 높다.

5) 브알라, 카카오톡 챗봇 주문 서비스·나우 웨이팅 키오스크 도입, 연합뉴스, 2020.07.10

다) **생체인식 기술**[6)7)]

8)

[그림 8] 지문인식, 홍채인식

생체인식 기술은 사람의 신체적, 행동적 특징을 자동화된 장치로 추출하여 개인을 식별하거나 인증하는 기술로, 바이오인식 기술이나 바이오매트릭스라고도 한다. 생체인식 기술로 사용되기 위해서는 누구나 가지고 있고, 개인마다 유일하게 지니고 있어야 하며, 변하지 않아야 하고, 센서에 의한 획득과 정량화가 쉬워야 한다. 즉, 보편성, 유일성, 영구성, 획득성, 정확도, 수용도, 기만용이도 7가지 고유 특성이 고려되어야 한다.

	특성	설명
일반적으로 갖추어야 할 특성	보편성(Universality)	모든 사람이 가지고 있는 생체 특성이어야 함
	유일성(Uniqueness)	같은 특성을 가진 사람이 없어야 함
	영구성(Permanence)	절대 변화하거나 변경되지 않아야 함
	획득성(Collectability)	센서로부터 생체특성정보 추출 및 정량화가 쉬워야 함
신뢰성을 높이기 위한 추가적인 특성	정확도(Performance)	시스템의 정확도, 처리속도, 내구성 등
	수용도(Acceptability)	시스템에 대한 거부감을 느끼지 않는 정도
	기만용이도(Circumvention)	비정상적으로 시스템을 속이기가 쉬운 정도

[표 1] 생체인식 기술의 고유 특성

예를 들어 DNA 패턴 인식은 위조 및 해독이 원천적으로 불가능하여 높은 보안성을 지니고 있으나 실시간 측정 기술이 개발되지 않아 생체인식 기술로는 사용하기 어렵다. 또한, 얼굴 열상의 경우도 얼굴의 혈류에 생기는 열점을 읽는 방식으로 고유의 특성을 획득할 수 있으나, 성형, 얼굴 노화 등으로 영구불변의 자료로 활용하기에는 한계가 있다.

6) 생체인식 기술 및 시장동향, 연구성과실용화진흥원, 2016.02
7) 생체인식, IR협의회, 2021.07.29
8) 출처: <보안시스템의 새로운 물결, 바이오 메트릭스 시장이 뜬다.>

생체인식은 많은 응용분야에서 다양하게 사용되고 있으며, 기본적으로 사용자의 특징을 추출하여 저장하는 등록, 1대 1매칭으로 사용자 본인임을 확인하는 인증, 데이터베이스에서 1대 N 매칭으로 많은 사람들 중에 사용자를 찾아내는 식별등으로 구분된다. 인증과 식별은 응용역역에 따라 선택적으로 이용되어지며, 이에 따른 시스템 구성에는 차이가 있다.

생체인식은 신체적 특징과 행동적 특징으로 구분할 수 있다. 신체적 특징은 각 개인의 얼굴모양과 얼굴열상을 이용하는 얼굴인식, 홍채를 이용하는 홍채인식, 정맥을 이용하는 정맥인식, 지문을 이용하는 지문인식과 그 외에 망막, 손모양 등을 이용한 것이 포함된다. 행동적 특징은 음성인식, 걸음걸이 인식, 서명인식 등이 있으며, 최근에는 생체인식의 정확도를 높이기 위해 행동특징인 걸음걸이, 서명, 음성 등을 신체적 특징과 복합 활용하고 있다.

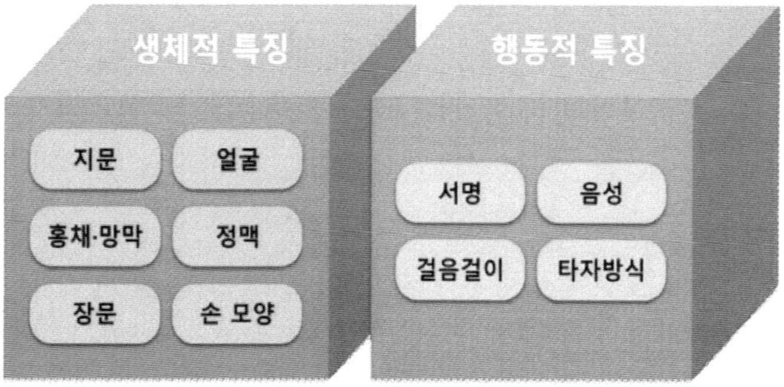

[그림 9] 생체인식 분류

생체인식 기술은 반도체 기술의 발달로 생체정보를 인식하기 위한 입력 센서의 소형화와 집적화가 가능해지고, 빅데이터와 인공지능 기술적용으로 데이터 처리 속도가 빨라지고 정확도가 높아지면서 다양한 산업에서 활용되고 있다. 특히, 스마트폰, 웨어러블 디바이스, IoT 기기의 확산으로 금융, 보안, 출입관리, 헬스케어, 검역, 엔터테인먼트 등 점차 많은 분야에서 활용사례가 증가하고 있다.

활용 분야	기술적용 사례
금융	ATM, 모바일뱅킹, 증권거래, 지급 및 결제수단 등
컴퓨터 보안	전자상거래, 정보보안, 생체 로그인(PC 등), 핸드폰 등 기기 사용자 인증
통신	콜센터, 인터넷폰 및 전화카드
출입관리	공항(출입국 심사, 불법 입국자 확인 등), 기업(출입통제, 근태관리 등)
헬스케어	환자 신분확인, 기록관리, 원격진료 등
공공분야	범죄자 식별(지문대조, 성분분석), 전자주민증, 선거 관리 등
검역	안면인식을 통한 감염자 식별
엔터테인먼트	얼굴인식을 통한 인물사진 분류 및 관리, 닮은 사람 찾기 등

[표 2] 생체인식 기술 적용분야

생체인식은 등록과 검증의 단계로 이루어지며, 등록은 생체인식을 처음 사용할 때 개인의 생체 특성정보를 등록하는 것을 말한다. 검증이란 등록 이후 사용자 인증 시 사용자의 생체적 특성정보를 입력하여 등록 시 저장된 생체 특성정보와 비교하는 것을 말한다.

① 등록단계

개인의 생체 특성정보를 가능한 한 완전하게 획득하여 효율적인 처리를 위해 특징만을 추출하여 최대한 정보의 손실 없이 데이터베이스에 등록한다.

② 검증단계

입력된 생체정보는 디지털 형태로 변화되며, 비교 알고리즘을 거쳐 얻은 결과가 정해진 수용범위 내에 있으면 승인되고, 수용범위를 넘어서면 거부된다.

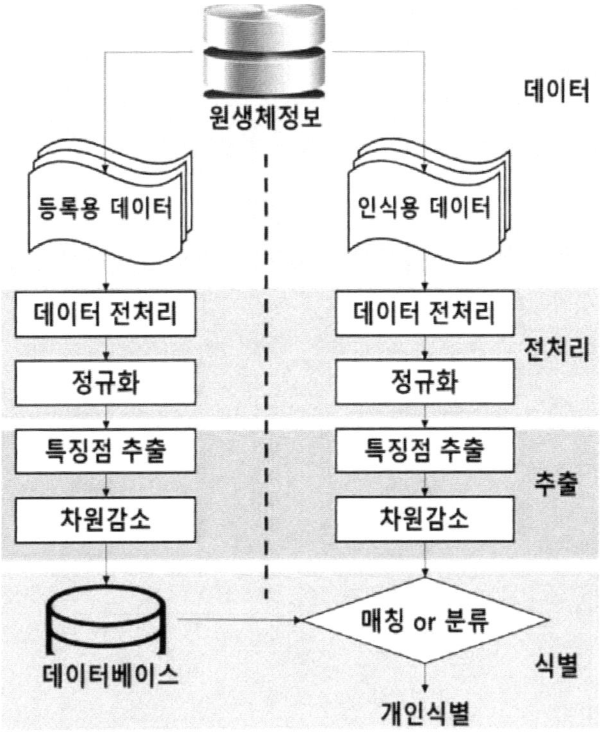

[그림 10] 생체인식 인증 프로세스

생체적 특징에 기반을 둔 기술은 행동적 특징에 기반을 둔 기술보다 상대적으로 안정적이며, 개인 내에서의 변화가 적은 것이 장점이나 일부 기술의 경우 활용장치의 부피가 크고 비싸며, 사용자에게 거부감을 줄 수 있다는 것이 단점이다. 반대로 행동적 특징에 기반을 둔 기술은 활용장치가 단순하고 저렴하며, 사용자에게 자연스러운 느낌을 줄 수 있다는 장점이 있으나 심리 상태에 따라 변화하고 신체적 특징에 영향을 받으며 개인 내의 변화가 크다는 것이 단점이다. 한편, 생체인식 기술은 인간의 유일한 특징을 보안의 기초로 하고 있어 기존 시스템의 단점을 대체할 수 있으나, 개인정보를 수집한다는 점에서 법률적, 윤리적 문제를 가지고 있으며, 데이터가 도용되고 있음에도 변경할 수 없는 문제가 있다.

구분		장점	단점
생체적	지문	보안성이 높고, 시스템 비용이 저렴	손상되거나 건조한 지문은 인식 곤란
	얼굴	거부감이 적고, 시스템 비용이 저렴	조명의 변화에 민감하며, 변장에 약함
	홍채	복제할 수 없으며, 인식률이 높음	눈을 뜨고 있어야 하는 불편함 등에 의한 거부감, 인증 단말의 가격이 높음
	정맥	인식률이 높고, 사용자 편의성이 우수	시스템 크기가 크고 가격이 고가
행동적	음성	원격지에서 사용할 수 있고, 비용이 저렴	신체적, 감정적 변화에 약하고, 노이즈 변조 가능
	서명	사용이 편하고, 입력기의 가격이 저렴	정확도가 떨어지며, 타인의 도용 가능
	손모양	데이터 용량이 적고, 작동이 간단	정확도가 떨어지며, 대형 시스템

[표 3] 생체인식 기술별 장단점

종류	보편성	유일성	영구성	수집 가능성	수행능력	수용성	우회성
얼굴	H	L	M	H	L	H	L
지문	M	H	H	M	H	M	H
손모양	M	M	M	H	M	M	M
키스트로크	L	L	L	M	L	M	M
손 정맥	M	M	M	M	M	M	H
홍채	H	H	H	M	H	L	H
망막스캔	H	H	M	L	H	L	H
서명	L	L	L	H	L	H	L
음성	M	L	L	M	L	H	L
얼굴온도	H	L	L	H	M	H	H
체취	H	H	H	L	L	M	L
DNA	H	H	H	L	H	L	L
걸음걸이	M	L	L	H	L	H	M
귀모양	M	M	H	M	M	H	M

[표 4] 생체인식 기술 비교

구분		본인 거부률 (FRR : False Rejection Rate)	타인 수락률 (FAR : False Acceptance Rate)
생체적	지문	0.1%~0.5%	0.001%~0.01%
	얼굴	1%~2.6%	1%~1.3%
	홍채	0.0001%~0.1%	0.000083%~0.0001%
	손가락 정맥	0.01%~0.3%	0.0001%~0.001%
	손바닥 정맥	0.01%~0.1%	0.00008%~0.0001%
행동적	음성	1%	0.1%
	서명	-	-
	손모양	-	-

[표 5] 생체인식 기술별 인식 정확도

1) 지문인식

지문인식은 지문을 인식할 수 있는 전용 센서를 이용하여 지문에 대한 디지털 영상을 획득 및 처리하여 사용자를 인식하는 기술이다. 속도가 빨라 편리하게 사용할 수 있고 보안성과 인식률이 높아 대부분의 IoT 장비 또는 단말기의 보안 인증수단으로 광범위하게 사용되고 있으며, 정전식, 광학식, 초음파 방식 등이 있다.

구분	광학식 지문인식	비광학식 지문인식	
		정전용량식 지문인식	초음파식 지문인식
방식	카메라와 광학 스캐너를 이용하여 빛(가시광선)에 반사된 지문 영상을 획득해 기존 등록된 지문 정보와 비교하는 방식	지문의 융선과 골의 정전용량 차이로 지문의 패턴마다 다른 전기량을 감지해 지문을 인식하는 방법	초음파 센서에서 초음파를 발사하여 돌아오는 시간을 측정함으로써, 지문의 높이 차를 계산해 지문을 인식하는 기술, 3차원 지문인식
예시	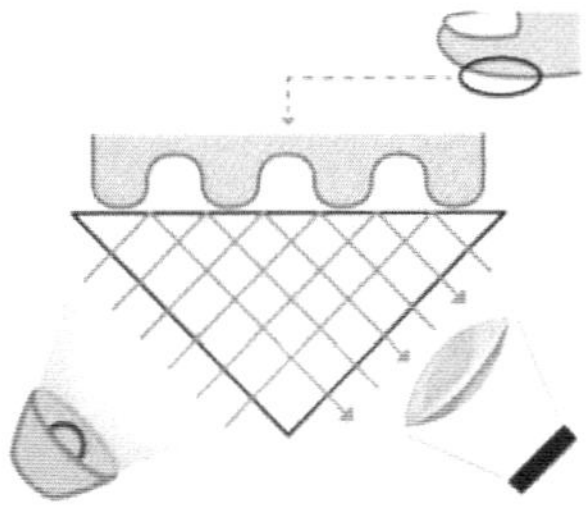	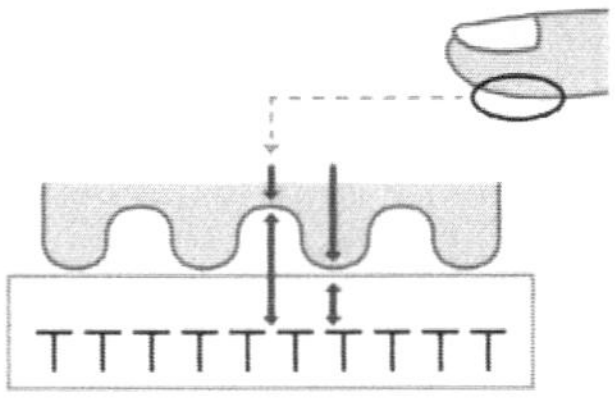	
업체	크루셜텍, Synaptics, Goodix, Egis Tech	크루셜텍	Qualcomm, Authentec, FPC, 삼성전자

[표 6] 지문인식 기술의 방식

이 외에도 산소 포화도(Pulse oximetry), 심전도, 전반사 임계각을 이용한 방식, 시도/응답(Challenge/Response), 냄새(Odour), 산란식과 흡수식의 복합 광학 구조를 이용한 방식, 다중 스펙트럼(Multi-spectral) 특성 방법이 있다.

지문인식 기술은 낮은 에러율과 비교적 높은 인식률, 1초 이내에 이루어지는 빠른 검증 속도라는 장점을 내포하고 있으나, 지문의 손상, 건조한 피부, 굳은 살이 베인 손가락 등 손의 상처나 변형에 의해 인식률이 떨어지는 단점이 있다. 또한, 종이, 필름, 실리콘, 젤라틴, 고무를 이용한 다양한 위조지문이 개발되며 문제가 되고 있다.

다만, 이러한 위조지문을 가려내기 위해 딥러닝 기술을 이용한 애플리케이션도 지속해서 개발되고 있다.

2) 얼굴 인식

얼굴인식 기술은 눈과 눈썹, 코와 입, 턱 등의 얼굴 특징이 변하는 각 부위 60여 곳을 분석해 사람 간을 구별하는 기술이며, 얼굴 영역 검출 과정, 얼굴 영상 전처리 과정, 얼굴 특징추출 과정, 얼굴 식별/검색 단계로 인식단계가 이루어진다.

최근 딥러닝 기술의 발달에 힘입어 영상인식 기술이 매우 빠른 속도로 발전하고 있다. 딥러닝 기술은 매우 많은 수의 층으로 구성된 깊은 신경망 구조를 대용량의 데이터를 이용하여 학습시키는 기술로, 비선형의 계층적 특징 학습능력은 사람의 인지 메커니즘과 유사하다고 알려져 있다. 이러한 딥러닝 기술이 얼굴인식에 접목됨에 따라 다양한 데이터 환경에서 고성능의 얼굴인식이 가능하게 되고, 사람의 인지 수준을 능가하는 연구 사례 또한 나타나고 있다.

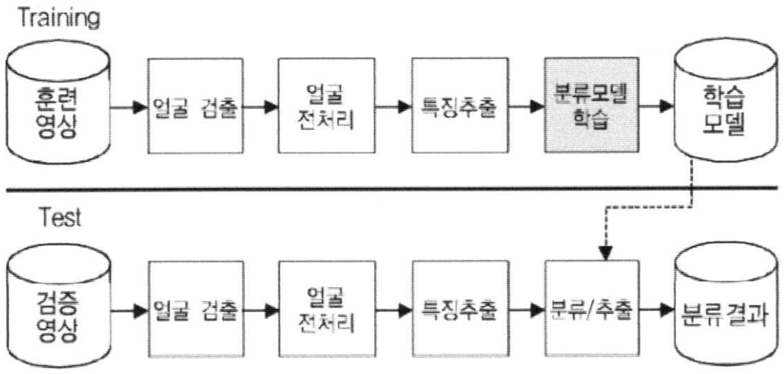

[그림 14] 얼굴인식 파이프라인

얼굴인식 기술은 응용에 따라 얼굴 검증(Face Verification) 그리고 얼굴 식별(Face Identification) 기술로 구분된다. 얼굴 검증은 입력으로 들어오는 두 개의 얼굴 영상이 동일 인물인지 여부를 판단하는 1:1 검증 문제이며, 얼굴 식별은 입력으로 들어오는 하나의 얼굴 영상이 사전에 등록된 N명의 인물 중 어떤 인물에 해당하는지를 판단하는 1:N의 문제로 볼 수 있다. 최근 코로나 19로 마스크 착용이 일상화되면서 얼굴인식 기능에 대한 거부감이 높아지고 있어, 이를 극복하기 위한 연구 개발이 진행 중이다. Face ID(얼굴인식)를 사용하고 있는 애플(Apple)은 마스크 착용 중에도 얼굴인식이 가능한 제품을 선보였다. 단, 인증이 완료된 애플워치를 손목에 착용한 상태에서 가능한 것으로, 얼굴인식 기능이 개선됐다기 보다는 추가 인증수단을 둔 것이다.

독일 3D 이미지 및 적외선 센서업체 트라이나믹스(TrinamiX)는 퀄컴, 구글과 협력해 마스크 착용 얼굴인식 시스템을 개발하여 상용화를 앞두고 있다. 트라이나믹스는 레이저 기반의 도트 프로젝터 모듈을 이용해 보이지 않는 근적외선을 발산하여 얼굴을 일정한 도트 패턴으로 식별한다. 피부에 근적외선을 비추면 색소나 가시광에 영향을 받지 않는 후방산란 패턴이 성형된다는 점을 이용한 기술로, 각 광점 반사는 기기 내 CMOS 카메라로 포착해 빔 프로파일로 분석한다. 트라이나믹스의 얼굴인식 시스템은 2차원 이미지와 3차원 깊이 지도, 그리고 소재 정보를 실시간으로 분석하여 실시간 라이브니스(Liveness)를 탐지함으로써 보안을 강화한 것이다.

3) 홍채인식

홍채인식 기술은 영국 케임브리지대학의 존 더그먼 교수에 의해 1994년 처음 고안된 기술로, 사람의 눈에서 중앙의 검은 동공과 공막(흰자위) 사이에 존재하는 도넛 모양의 홍채 무늬 패턴을 이용하여 사용자를 인증하는 기술이다. 홍채는 266개의 고유한 특징을 가지고 있고, 두 홍채가 서로 같을 확률은 약 10억 분의 1로 높은 유일성(지문은 1억 분의 1)을 보인다. 홍채의 주름을 주파수로 바꾸는 과정을 통해 홍채를 인식하게 되고, 망막 표면의 혈관 패턴이나 홍채에 형성되는 무늬는 사람이 태어난 이후 만 3세 이전까지 대부분 형성되며 일란성 쌍둥이라도 서로 다르다는 특징을 갖고 있어 DNA 분석보다 정확도가 높다고 알려져 있다.

또한, 홍채는 미세한 떨림이 있어 이미지 등으로 인한 도용이 어렵고, 눈의 표면에 위치하기 때문에 안구 내 질병에 영향을 받지 않으며 눈의 충혈과도 상관이 없다. 또한, 콘택트렌즈나 안경을 착용하더라도 인식할 수 있다.

홍채인식 시스템은 다른 생체인식 시스템보다 오인식률을 크게 낮출 수 있는 장점을 갖고 있어 활용범위가 넓고 고도의 보안을 요구하는 곳에 사용될 수 있으나, 사용자가 입력 센서에 망막의 위치(높이, 입력장치와의 거리 등)를 정확히 고정하지 않으면 인식률이 떨어지고, 조명, 햇빛 반사 등의 환경적 영향을 받으며, 입력기의 가격이 비싸다는 단점이 있다.

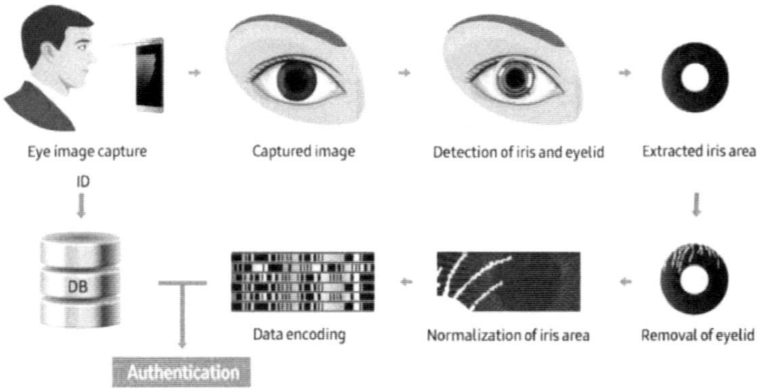

[그림 15] 홍채인식 인증 프로세스

삼성전자는 갤럭시노트7 시리즈에서 근적외선 LED를 이용한 홍채인식 인증을 제공한 바가 있으나 갤러시10 시리즈부터는 홍채인식 인증을 제외하였다. 삼성전자가 홍채인식을 제외한 이유는 빅데이터 분석 시 홍채인식 기능을 사용하는 소비자가 적고, 진보한 기술을 적용한 초음파 지문인식 기능이 등장하면서 정확성과 보안성이 높아졌기 때문으로 알려져 있다. 또한, 몰입도를 높이는 풀스크린 사용이 디자인 트렌드가 되면서 스마트폰 전면에 부품 배치가 최소화되고 지문 대비 편의성이 낮고 사용이 적은 홍채인식이 제외되었다는 견해가 있다.

한편, 2016년 5월 독일 해커그룹인 카오스 컴퓨터 클럽은 적외선을 촬영한 눈 사진 위에 콘택트렌즈를 올리는 방식으로 갤럭시S8의 홍채 보안 인증을 통과하는 영상을 공개하여 홍채인식 시스템의 단점이 드러나기도 했다.

4) 음성인식

음성인식은 음성으로부터 추출한 독특한 특성을 이용하는 인식기술로 음성경로, 비강과 구강의 모양 등에 의한 음성학적 특성을 이용한다. 인식대상으로 삼는 화자에 따라 화자 독립과 화자 종속 인식 기술로 분류된다.

음성인식은 인간에게 친숙한 정보전달 방법이기 때문에 별도의 학습이나 훈련 없이도 기기를 손쉽게 사용할 수 있으며, 손과 발이 자유롭지 못한 상황에서도 정보를 입력할 수 있다는 장점이 있다. 반면, 단점으로는 사용자에 따른 인식률 차이, 주변잡음, 인식대상 어휘 제한 등이 있다.

기술	내용
화자독립 인식기술	-불특정 다수 화자의 음성을 인식하기 위한 것. -화자종속인식과 같은 방식으로 사용자가 시스템의 동작 전에 음성을 등록시켜야 되는 번거로움이 없음.
화자종속 인식기술	-특정화자의 음성을 인식하기 위한 시스템. -일반적으로 시스템의 사용 전에 사용자의 음성을 저장, 등록시키고 실제 인식을 수행할 때는 입력 음성의 패턴과 저장된 음성의 패턴을 비교하는 패턴매칭(Pattern matching)기법이 사용된다. -휴대폰에 탑재되어 사용되는 음성인식다이얼링(voice dialing)시스템이 대표적임.

[표 7] 음성인식 기술의 분류

5) 정맥인식

정맥인식 기술은 육안으로는 보이지 않으나 정맥 패턴이 사람마다 다르다는 점에서 착안한 것으로, 적외선을 사용하여 혈관을 투시한 후 잔영을 이용해 신분을 확인하는 방식이다. 정맥인식 기술에서는 적외선 조명과 필터를 사용하여 피부에 대한 혈관에서는 적혈구가 적외선을 흡수하여 통과하지 못해 CCD카메라에 혈관부분이 어둡게 촬영된다는 점을 이용해 정맥의 분포 정보를 추출하고, 이를 데이터베이스에 저장하여 특이점을 인식할 뿐 아니라 전체적인 혈관 모양을 비교해 신분을 확인한다.

정맥인식 기술의 장점으로는 지문 또는 손가락이 없는 사람도 이용할 수 있으며, 정맥은 인체 내부에 있어 외상이나 노화로 인한 변형의 가능성이 적고 복제가 거의 불가능하다는 것이다. 반면 손등의 피부 배경으로부터 정맥이 분포한 부분을 추출하기가 쉽지 않아 하드웨어 구성이 복잡하고 소형화가 어려워 시스템 크기도 크고 구축비용이 매우 높다는 점은 단점으로 작용한다.

기술	내용
손등	한국에서 상품화한 손등 정맥의 패턴을 이용하는 방법이 있으며, 이 방법은 넓은 영역에 걸쳐 분포해 있는 정맥의 분포를 파악하는 방식으로 눈으로 확인할 수 있을 정도로 정맥이 뚜렷하게 보이는 특징이 있다.
손바닥	일본의 Fujisu에서 개발하여 상품화 하고 있는 기술로, 특징으로는 손등과 같이 넓게 분포되어 있는 정맥을 이용하는 것이며 비 접촉식으로 구현되어 있다.
손가락	손가락의 정맥을 이용한 인식방법은 일본의 HITACHI에서 상품화한 것으로 손가락 위에 적외선 LED로 빛을 비추고 아래면에서 CCD카메라를 이용하여 손가락을 지나는 정맥영상을 얻는 방법이다.

[표 8] 정맥인식 분류

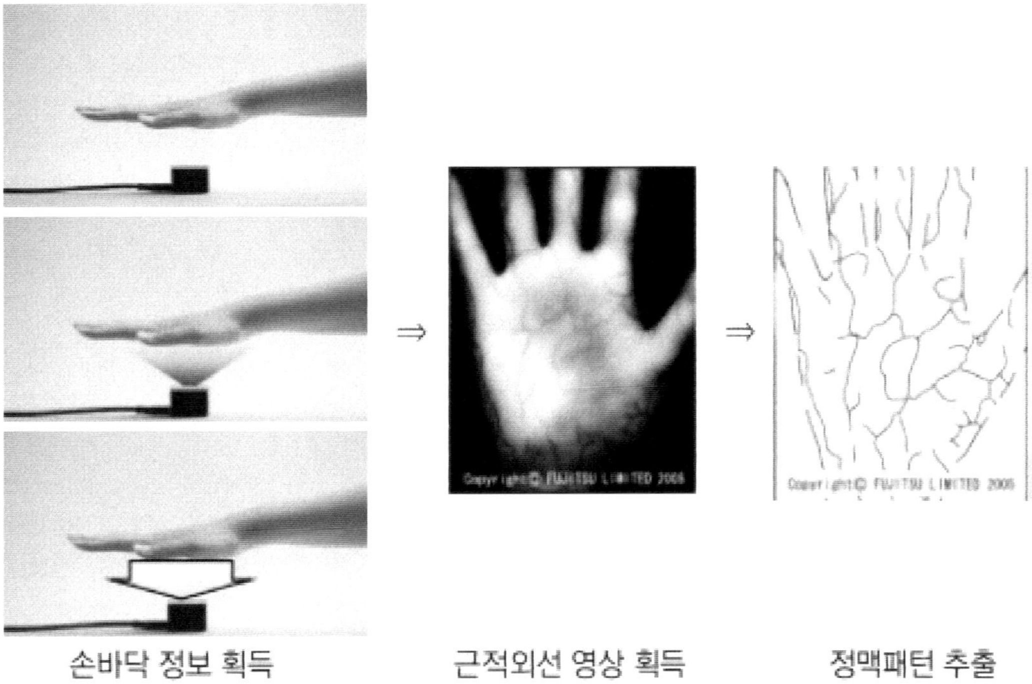

[그림 16] 손바닥 정맥인식의 원리

6) 걸음걸이 인식

걸음걸이 인식은 걸음걸이의 특성을 분석하여 인식하는 것으로 세계적으로 연구가 상당히 진척되어 있으나 우리나라는 아직 초보단계이다. 지능형 영상감시 시스템, 출입통제시스템 등에서 활용이 예상되며, 장점으로는 비접촉방식으로 상체를 활용하지 않고 외적으로 사용되는 사생활이 보호되며, 포착이 어려울 수 있으므로 사용자들이 모르게 인증이 진행될 수 있는 점이 있다.

또한, 다른 바이오 인식 기술에 비해 장거리에도 등록 및 인증이 가능한 점, 한꺼번에 인증해야할 경우 시간 단축이 가능하다는 점도 장점이다. 반면 사용자의 옷, 바닥의 표면, 신발, 부상, 가방/우산 등 외부 영향을 많이 받으며 소형화하기 어렵다는 단점이 있다.

7) 서명인식

서명인식 기술은 필체 역학을 이용하여 압력이나 속도를 분석하여 인증하는 자연스럽고 전형적인 방법이다. 서명에 의한 식별은 일반적으로 인식보다는 본인 여부의 검증에 많이 쓰이며, 사용자와의 친숙도가 높아 보편화되어 있으며 앞으로의 활용 가능성도 높은 기술이다.

서명 인식 기술의 장점은 사용이 쉽고, 언어라 자유로우며, 빠른 인증속도와 적은 저장 공간이 사용된다는 점이며, 단점으로는 변조가 쉽고, 인증 시 측정범위와 식별 기준을 잡기 어렵고 수전증 과 같은 지병이 있을 경우 사용하기 힘들다는 점이 있다.

기술	내용
오프라인 방식(정적)	오프라인 방식은 작성된 서명을 스캐너, 카메라 등을 이용하여 광학적으로 인식한 다음 모양을 분석하여 인식, 대조 함
온라인 방식(동적)	온라인 방식은 전자패드에 직접 서명하면서 그 움직임의 속도, 압력 등을 동적으로 파악함

[표 9] 서명인식 분류

라) 디지털 정보 디스플레이(DID: Digital Information Display)

디지털 정보 디스플레이 패널은 공공정보 게시용 디스플레이 제품을 총칭하는 것으로, 최근에 유동인구가 많은 공공장소에 대형 디스플레이 패널을 설치하여 기업이나 상품의 홍보 영상을 불특정 다수에게 제공하는 디지털 정보 디스플레이 방식이 늘어나고 있다.

이러한 DID패널은 다양한 형태의 문서를 디스플레이 할 수 있을 뿐만 아니라 문서의 편집, 인식, 저장, 관리의 기능이 추가된 컴퓨터 기반의 효율적인 제어가 가능하다. 이러한 이유로 DID패널은 현재 공항, 지하철, 병원, 은행, 백화점, 슈퍼마켓, 서점 등 여러 장소에서 홍보 정보, 공공정보, 가격정보, 할인정보, 상품정보 등을 제공하는 장치로서 사용되고 있다.

DID패널은 공공용으로 쓰이는 특성상 일반 TV보다 훨씬 큰 대형 제품이 주를 이루며 규격화되지 않은 크기의 제품들이 많다. 긴 가동시간, 높은 온도와 습도, 외부 이물질 유입 등 악조건에 상관없이 안정적으로 동작할 수 있어야 하기 때문에 패널과 구동회로를 포함한 부품들이 더 높은 신뢰성을 갖추어야 한다는 특징이 있다.

또한, 터치스크린이기 때문에 사용자들이 편리하게 사용할 수 있다는 특성도 갖고 있으며, 인터페이스를 통해 상호작용적 응용프로그램이 적용되는 솔루션을 기반으로 만들어졌으며, 사용자에게 시각적 정보를 제공한다.

상업용 DID패널의 경우 사용자들은 티켓 발권, 상품 구매, 제품 탐색 등을 위해 카운터에서 대기하는 시간을 줄일 수 있게 되었고, 기업의 입장에서는 그에 필요한 인건비, 시간 등의 비용을 절감할 수 있게 되었다.

그러나, DID패널이 무조건 장점만 있는 것은 아니다. 사용자들이 DID패널을 통해 직접 상품을 고르고, 항공권을 예매하고, 영화권을 구입하고, 제품 탐색을 하게 됨에 따라 야기될 수 있는 단점도 존재한다. DID패널을 이용하는 경우 사용자가 모든 선택을 스스로 결정하기 때문에 부담감을 느낄 가능성도 있으며, DID패널의 기술력에 익숙지 않은 사용자들은 DID패널의 숫자가 늘고 오프라인에서 볼 수 있는 업무가 줄어듦에 따라 여러 가지 어려움을 느끼기도 한다.

DID의 멀티 디스플레이 구성은 한 대의 컴퓨터만으로 시스템 운영이 가능하여, 한 대의 컴퓨터가 여러 개의 스크린에 동시에 동영상 및 다양한 콘텐츠가 플레이 되도록 하는 특징을 가진다.

시스템을 운영하는 매니저(Manager)가 키오스크(Kiosk), 터치스크린(Touch screen), LED모니터, 멀티 디스플레이(Multi Display), 사이니지 디스플레이(Single Display)의 조작이 가능하며 단일형태의 디스플레이나 복합형태의 디스플레이로 배포의 구성에 따라 다양한 형태로 구현 가능하다.

DID의 활용범위로는 지하철 디지털 뷰(Digital View), 버스정보시스템(BIS), 홍보나 공공업무에서 활용이 가능하다.

지하철 디지털 뷰는 인터넷 기반과 터치기반의 전화, 지역정보, 실시간 정보, 역사 정보, 관광정보, 티켓 예매, 쿠폰 등의 서비스를 제공함으로써 지하철을 이용하는 승객들의 만족도를 높여주기 위해 사용된다.

버스정보시스템은 버스 시간 및 노선정보, 기상 정보, 환경 정보, 교통 방송 등의 정보를 버스 승객들에게 제공하여 사용자의 편의를 높여줄 수 있는 기술이다. 버스 시간 및 노선정보, 기상 정보, 환경 정보, 교통 방송 등의 정보를 버스 승객들에게 제공하여 사용자의 편의를 높여줄 수 있는 기술이다.

대형서점, 백화점, 슈퍼마켓 등에서 홍보를 위해 DID가 활용될 경우, 이용자들은 터치스크린을 통해 유통업자 혹은 제조사가 홍보하고자 하는 점들을 스스로 선택하여 선별적으로 열람가능하다. 관리자들은 DID패널에 여러 가지 홍보용 정보들을 입력, 수정, 삭제 등을 함으로써 효율적으로 소비자들에게 원하는 정보를 제공할 수 있다.

정부기관, 대학 등에서도 시민들의 공공업무를 볼 때 도움을 주기 위해서 DID패널을 키오스크의 일종으로 활용하기도 한다. 이를 통해 서류 발급, 공과금 납부 등의 업무를 할 수 있고 대학에서 스마트카드와 연계된 기술을 통해 학교 안 다양한 서비스를 제공할 수 있다.

마) 인공지능(Artificial Intelligence, AI)

인공지능은 오프라인과 만나며 빠르게 인간의 단순 업무들을 대신해가고 있는데 특히 유통분야에서 이용이 두드러지며 무인점포 형태의 영업을 가능케 하고 있다.

인공지능(Artificial Intelligence)이란, 인공적으로 지적능력을 구현한 것으로 인간의 지능(인지, 추론, 학습 등)을 컴퓨터나 시스템 등으로 만든 것이다. 여기에서 지적능력(지능)이란 주로 '문제를 인식하는 능력', '새로운 문제를 해결함에 사전에 지니고 있던 지식과 경험을 적용하는 능력' 등으로 정의된다. 즉, 인공지능이란 기계가 인공적으로 문제를 인식하고 그를 해결함에 있어 사전에 학습된 지식과 경험을 적용할 수 있도록 하는 기술로 볼 수 있다.

인공지능은 목표와 사고 해결 유무에 따라 분류할 수 있는데, 먼저 목표에 따라 분류하면 인간과 같은 사고 시스템, 인간과 같은 행동 시스템, 합리적 사고 시스템, 합리적 행동 시스템 등 4가지로 분류할 수 있다.

인간과 같은 사고 시스템 (1985년 Haugeland와 1978년 Bellman의 정의)	**합리적 사고 시스템** (1985년 Charniak과 Modermott, 1992년 Winston의 정의)
인간과 같은 행동 시스템 (1990년 Kurxweil과 1991년 Rich와 Knight의 정의)	**합리적 행동 시스템** (1990년 Schakoff와 1993년 Lugar와 Stubblefield의 정의)

[표 10] 인공지능 목표에 따른 분류

사고해결 유무에 따라서는 '약한(Week) 인공지능'과 '강한(Strong) 인공지능'으로 나눌 수 있다. 약한 인공지능은 미리 정의된 규칙이나 알고리즘을 이용하여 인간의 지능을 구현한 것으로 체스, 바둑, 컴퓨터 게임과 같은 특정 영역의 문제를 푸는 기술인 반면 강한 인공지능은 문제의 영역을 좁혀주지 않아도 어떤 문제든 해결할 수 있는 기술 수준을 말한다. 현재 약한 인공지능은 널리 쓰이고 있으며 최근 컴퓨터 성능의 향상과 딥러닝의 등장으로 특정 영역에서는 인간에 버금가거나 인간을 능가하는 수준의 단계로 발전하였다.

인공지능은 주로 머신러닝(기계 학습) 기법을 이용하여 구현된다. 머신러닝은 크게 알고리즘, 데이터, 하드웨어 인프라로 구성되어있으며 경험적 데이터를 기반으로 학습을 하고 예측을 수행하며 그 결과를 토대로 기계가 스스로 자신의 성능을 향상시키는 시스템과 알고리즘을 말한다. 따라서 데이터의 양이 많을수록 정확한 예측이 가능하기 때문에 최근 '빅데이터'가 함께 대두되고 있다.

현재 전 세계 기업이 인공지능 도입에 본격적으로 나서면서 무인화의 속도에 가속도가 붙을 것으로 예상된다. 산업 전반적으로 인공지능 방식이 도입되고 있는데 자동차, 쇼핑, 법률, 비서, 금융 분야 등에서 앞으로 사람이 하는 일을 인공지능이 대체할 것으로 보인다.

바) 사물인터넷

사물인터넷은 사물끼리 인터넷을 통해 정보를 주고받는 것으로 지금껏 사람이 정보를 주고 사물이 받기만 했다면 사물인터넷 시대에는 사람의 판단이 개입하지 않아도 사물끼리 정보를 주고받을 수 있다. 사물인터넷의 핵심은 연결로 통신망이 발달하면서 사람과 사람, 사람과 사물 간 연결에서 사물과 사물 간 연결로 진화된 것이다.

IoT 기술	기술 내역
무선 센서 네트워크 시스템 운용방법	스케줄링, 그룹 형성, 에너지 효율배치, 동기화, 위치 인식 방법, 노드 위치 재설정, MINO, 이동성 방법
보안	키 관리, 암호 키 생성 방법, 보안을 위한 메시지 송수신방법
응용환경에 적합한 네트워크 시스템	헬스케어, 영상정보를 이용한 사물인식, 애완견 관리 시스템, 모니터링, 가로등 제어, 환경 관리, 화재 사고 관리 시스템, 안전관리 모니터링, 무인 경비 시스템, 주차 관리 시스템
라우팅 방법	위치기반, 라우팅 경로 설정, 다중 경로 라우팅, 클러스터 기반 헤더 산출, 클러스터 방법, 새로운 알고리즘에 기반한 라우팅 방법

[표 11] IoT 주요 기술

사물인터넷은 무인 판매에 이용될 수 있기 때문에 사물인터넷 기술은 무인점포와 밀접한 관련이 있다. 또한 사물인터넷을 이용하면, 메인서버를 통해 전국 점포의 시설 점검, 전력사용 관리, 실내조명 관리 등이 원격으로 조절가능하다.

무인서비스를 실현하기 위해 경비와 보안은 무엇보다도 중요한데 이것 역시 사물인터넷 기술로 실현할 수 있다. 앞서 살펴본 생체인식이 1차적으로 보안을 담당하지만 완전한 시스템은 아니다. 이마트의 무인점포 이마트 24의 경우 출입하기 위한 수단으로 신용카드 인증을 사용하고 있는데 이는 다른 사람이 들어갈 때 신용카드를 대지 않고도 들어갈 수 있다는 허점이 있다. 따라서 출입한 손님을 면밀하게 트래킹하는 시스템이 필요한데 이때 필요한 기술이 원격관제 기술이다. 원격 관제 기술은 모든 장비를 원격으로 통제할 수 있는 시스템을 통칭하며 사물인터넷 기술에 속한다고 할 수 있다.

현재 원격 관제 기술이 가장 실용화된 분야는 무인사물함인데 현재 자신의 스마트폰을 이용해 원격으로 비밀번호 설정이 가능해 편의성과 보안성을 갖추었다. 무인사물함은 '물건을 보관하는 기능'도 중요하지만 그 이상으로 기술적인 부분이 기업 경쟁력의 상당한 부분을 차지한다. 과거 모든 무인사물함 관리는 사람이 직접 했으며, 하나의 무인사물함 관리를 위해서 한 명의 전담 직원이 필요했다. 예를 들어 어떤 사람이 무인사물함 열쇠(혹은 비밀번호)를 잊어버리면 사물함 관리 직원이 현장으로 나가 안에 든 물건의 주인이 맞는지 확인하는 절차를 거쳤다.

하지만 원격관제 기술이 개발되면서 사물함을 관리하는 인력이 대폭 줄어들었다. 원격관제 기술은 직원이 직접 현장에 나가지 않고 한 명의 관리자가 컴퓨터 모니터로 수십 개의 무인사물함 이용 현황을 실시간으로 확인할 수 있는 기술이다. 원격관제 기술로 무인사물함 업체 및 사물함을 이용하는 업체들은 상당한 인원절감 효과를 봤다. 예를 들어 원격관제가 가능하기 이전에는 한 지역에 30명의 인원이 투입되어 관리를 했다면, 현재는 7명의 인원으로 전반적인 관리가 가능해졌다. 기존 인력의 약 70~75%가 줄어든 셈이다.

이외에도 원격관제 기술을 이용하면 보이스피싱 등 사회적 문제 해결 또한 가능해졌다. 무인사물함의 편리함 이면에는 테러 및 불법적인 용도로 사용될 수 있는 위험이 존재한다. 그러나 원격 관제가 가능해지면서 의심되는 물건, 고가 상품 및 현금 등을 확인할 수 있으며 신원도 항시 녹화된다. 이전의 CCTV는 카메라로 찍은 영상을 보여주기만 했지만 최근에 나온 지능형 CCTV는 영상분석도 할 수 있어 영상에 찍히는 사람의 나이와 성별까지 알 수 있다. CCTV에 빅데이터 기술이 결합되면서 다양한 정보처리가 가능해진 것이다.

사) **블록체인**[9]

언택트 서비스의 핵심은 DID(Decentralized Identity·탈중앙화 인증) 기술이다. DID는 중앙 기관이 아닌 개인들이 자신의 데이터를 직접 관리하는 구조다. 따라서 기존 방식과 달리 서비스 이용 과정에서 모든 개인 정보를 제공하지 않아도 된다. 각각의 사용자가 인증을 위해 꼭 필요한 정보만을 선택해 제출할 수 있기 때문이다. 예컨대 편의점에서 술을 구매할 때 직원에게 보여주는 주민등록증에는 나이뿐 아니라 주소, 이름, 주민번호 등 모든 개인 정보가 노출된다. 하지만 DID 기반 신원지갑을 사용하면 '20세 이상 성인'처럼 필요한 사실만 확인 시켜 줄 수 있다. 온라인 플랫폼을 사용할 때는 편의성도 개선될 것으로 보인다. DID를 이용하면 매번 별도로 인증할 필요없이 이전에 인증했던 데이터를 불러오면 된다. 즉 개인 정보를 반복적으로 입력하거나 일일이 신분증 사진을 올리지 않아도 된다.

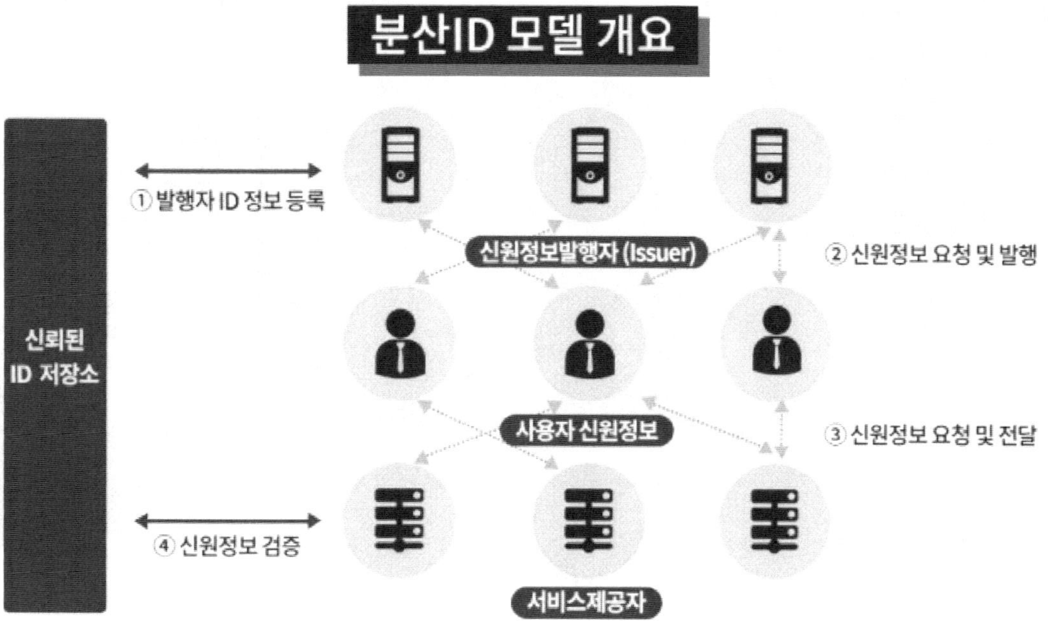

<출처: 금융보안원 '금융권 분산ID 기술 표준 개발 추진'>

[그림 17] 분산 ID 모델 개요

DID의 핵심은 데이터 주권이 중앙기관·기업에서 개인에게로 온다는 사실이다. 소수의 서비스 제공자가 운영하는 중앙 시스템에 방대한 양의 개인 정보가 몰리는 것은 상당히 위험한 현상이다. 서비스 제공자들은 처리해야 하는 데이터 양이 기하급수적으로 증가하며 관리에 어려움을 느끼고 있다. 한 번만 해킹 공격 타깃이 되어도 대량의 개인정보가 유출 될 수 있다. 국내 최고의 금융 회사인 삼성증권은 직원 한 명의 실수로 시스템이 무너졌고, 세계적인 인터넷 기업인 페이스북도 고객들의 정보를 지켜내지 못했다.

9) 탈중앙화 신원증명(DID), 데이터의 주권은 '개인'에게 있다!, 코스콤리포트

구분	공인인증	금융권 공동인증	분산ID
개요	신뢰할 수 있는 공인인증기관(CA)을 기반으로 구축한 인증 체계	금융업권별로(은행, 투자업권 등) 블록체인에 기반하여 구축한 인증체계	공인인증기관 및 금융업권의 개입없이 블록체인에 기반하여 구축한 인증체계
신원정보 생성 및 등록	공인인증기관	각 금융회사 등	필요시 누구나 저장 가능
신원정보의 신뢰성기반	공인인증기관의 기술적, 관리적, 물리적 보호조치를 기반으로 한 인증서 신뢰 체인	금융업권별 자체적으로 운영하는 블록체인	신원정보 저장을 위해별도의 지정된 블록체인 (신뢰된 분산 ID 저장소)
신원정보관리 형태	중앙이관에서 모든 사용자의 신원정보 관리	금융업권별로 신원정보 관리(블록체인 참여사업자간 신원정보 동기화)	신뢰된 분산ID저장소를 이용하여 신원정보관리
신원정보이용 형태	공인된 하나의 ID로 공동이용	하나의 ID로 공동이용	사용자 필요시 마다 용도별로 ID생성 후 이용가능
타업권간 공동이용 근거	전자서명법 (공인인증체계)	타 업권과의 협약에 의한 신뢰	신뢰된 분산ID저장소에 대한 신뢰성
신원정보 발급기관 내 개인정보저장	일괄저장	일괄저장	사용자 선택에 의한 저장

[표 12] 신원정보 관리모델

3. 무인 시스템 등장 배경

가) 4차 산업혁명

'무인점포'라는 화두는 인공지능(AI)와 빅데이터 등 디지털 기술 진보 속에 4차 산업혁명과 맞물린 시대적 흐름이 됐다. 4차 산업혁명의 핵심 기술로는 빅데이터, 인공지능, 모바일, 클라우드, 사물인터넷, 블록체인 등이 있는데 이러한 기술요소들은 무인점포를 운영하는데 다양하게 적용될 수 있다. 인공지능 알고리즘, 사물분별 능력, 간편 결제, 정확한 센서 기술 등이 오프라인과 만나며 사람을 필요로 하지 않는 서비스를 구현할 수 있는 것이다.

최근 국내외 선진 유통 기업들은 4차 산업혁명의 기반 기술들을 선도적으로 도입함으로써 리테일 테크 기반의 유통환경을 구현하고 있는데 이는 앞으로 무인점포가 확산되는데 빠르게 기여할 것으로 보인다. 리테일 테크는 인터넷과 PC 및 모바일에 기반한 유통 3.0시대에 도입되기 시작했으며 유통 4.0시대에 급격히 성장하고 본격적으로 확대되고 있다.[10] 대표적으로 O2O서비스, 제품추적 기능, 빅데이터 기반 맞춤형 서비스 제공, 실감형 VR스토어, 무인 쇼핑 등이 꼽히며 이와 같은 혁신적 리테일 테크가 부상하고 있다.

기업들도 리테일 테크를 확보하기 위한 움직임이 나타나고, 소비자도 리테일 테크를 중요한 KBF(Key Buying Factor)로 고려하게 되면서 유통 4.0 시대가 도래된 것이다.

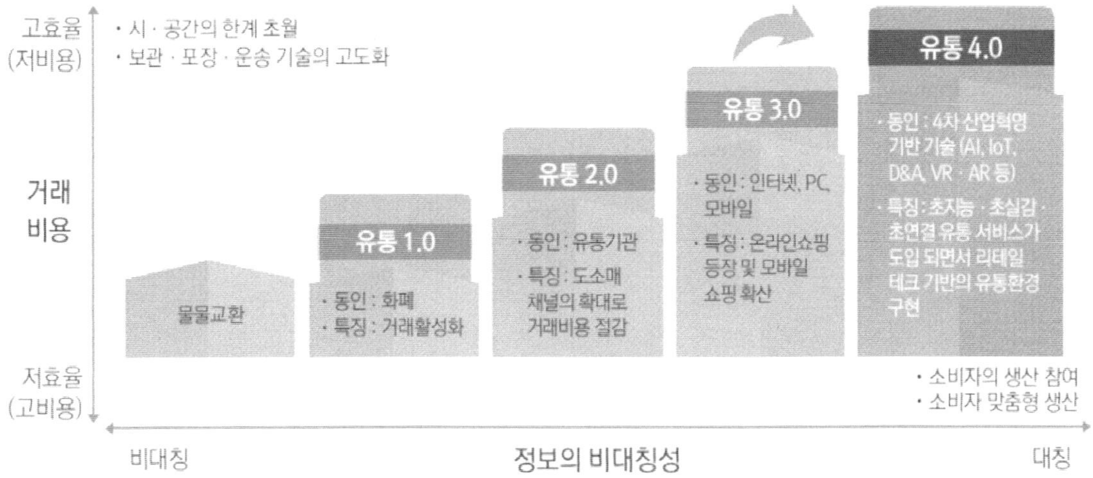

[그림 18] 유통 4.0시대 도래와 리테일 테크 부상

11)

---

10) 유통 4.0이란, 유통산업에 인공지능(AI: Artifical Intellingence), IoT(Internet of Things)등 4차 산업혁명기반 기술들이 활용되면서 유통서비스 초지능·초실감·초연결화가 실현된 현상을 말한다. 유통 4.0으로 거래비용이 크게 절감되는 등 효율성이 증대되었고, 제조사와 고객 간 정보 비대칭성이 크게 완화되었다.(자료: 삼정 KPMG 경제연구원) 산업통상자원부는 유통 4.0시대의 세가지 특징을 ①산업 내/산업간 융합에 따른 업태간 경계의 붕괴, ②기술혁신에 따른 가치창출ㄹ 원천의 근본적 전환, ③국경간 장벽으 ㅣ완화로 인한 국내외 시장 통합으로의 가속화로 설명했다.

11) 자료: 삼성 KPMG 경제연구원

4차 산업혁명의 다양한 기반 기술이 백화점, 대형마트, 편의점, 홈쇼핑, 온라인·모바일 쇼핑 등의 유통업태에 접목되면서 본격적인 유통 4.0시대를 맞이하게 되었다. 인공지능, IoT, AR·VR, 로보틱스 등과 같은 첨단 기술로 인해 유통환경 전반에 걸쳐 다양한 패러다임 변화가 관찰되고 있다.

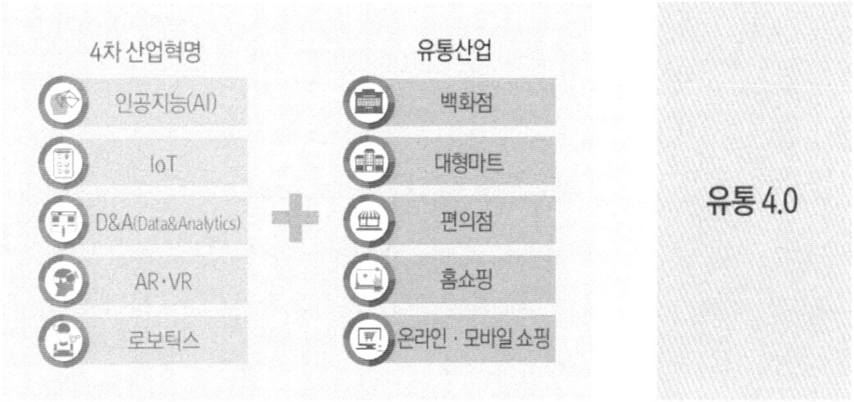

[그림 19] 유통 4.0 시대가 도래한 배경-4차 산업혁명과 환경변화

이러한 기술의 발전의 가장 대표적인 예가 바로 고속도로 톨게이트라고 할 수 있다. 도로공사는 2020년부터 하이패스에서 한단계 진보된 고속도로 요금징수 시스템인 스마트톨링 시스템을 도입할 계획이다. 스마트톨링은 정차 없이 통행 중 고속도로 요금을 부과하는 시스템으로, 고속도로에 차량 번호판 인식 카메라를 장착하여 이동 거리만큼 운전자에게 요금을 후불로 부과한다. 스마트톨링 시스템이 도입되면, 톨게이트 자체의 존재 이유가 없어지기 때문에 당연히 요금 수납원도 필요 없어진다.

스마트톨링이 도입되면 톨게이트 부지도 필요 없어지며, 감속이 전혀 필요 없어지기 때문에 톨게이트를 지나치며 발생하는 정체나 이에 따른 환경 오염도 없어진다. 현재 고속도로 노동자들의 반대와 개인정보 보호법 개정 문제로 애초에 계획했던 전체 국민 대상 시행에서 미리 신청한 이용자만을 대상으로 축소 시행될 계획이나, 사회적 효용이 크기 때문에 점진적으로 개표원과 일반 하이패스 차로를 점차 줄여가며 스마트톨링을 늘려갈 것으로 판단된다.

[그림 20] 고속도로 요금 계산 시스템 발전 방향

12)

나) **최저임금 인상**[13)]

매년 큰 폭으로 상승하는 최저 임금으로 인한 인건비 부담이 커지고 있다. 특히 2017년부터 2019년 사이 최저임금의 인상폭은 무려 30%에 달한다. 최저임금 상승폭이 컸던 이 기간 동안 인건비가 매출원가에서 차지하는 비중은 2017년 21%에서 2019년 29%로 8%p 이상 상승했다. 이 같은 인건비 부담을 줄이기 위해 기존 직원으로 운용했던 인력의 수를 줄이거나 없애고 키오스크로 대체하는 트렌드가 시작되었다.

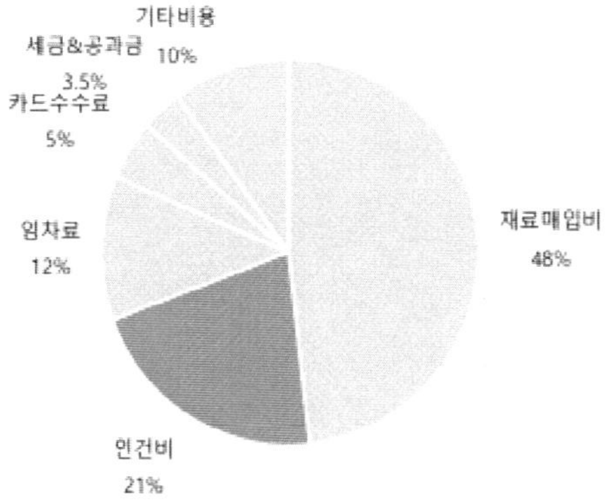

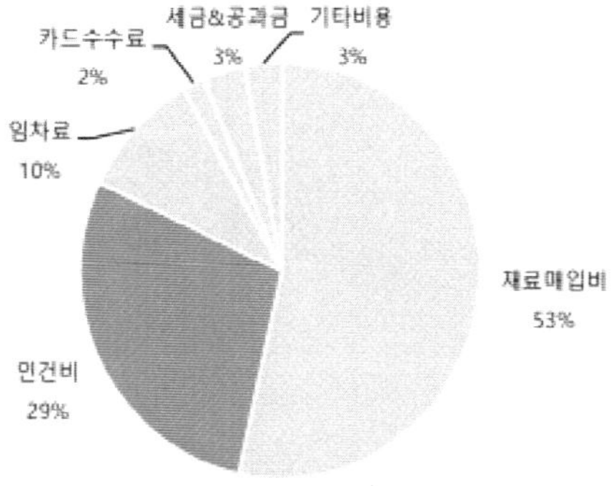

[그림 21] 외식업체 매출원가 대비 인건비 비중 (좌: 2017년, 우: 2019년)

인건비와 관련해 추가적으로 발생 가능한 야간 근로수당, 주휴수당 등 현실적인 비용들을 모두 포함할 경우 키오스크 대체에 따른 고정비 절감 효과는 앞서 계산한 것 보다 더 클 것으로 보인다. 향후 최저임금 인상 시 점점 더 많은 업종에서 전통적인 종업원에서 키오스크로의 전환을 고려할 수 밖에 없는 것이다.

(전년대비증감, 만명)	2017	2018	2019	2020	2021
임금근로자	26.5	15.0	35.7	-10.8	42.1
- 상용	36.6	34.5	44.4	30.5	36.6
- 임시	-13.2	-14.1	-5.6	-31.3	15.2
- 일용	3.1	-5.4	-3.1	-10.1	-9.6
비임금근로자	5.4	-5.2	-5.6	-11.0	-5.3
- 고용원 있는 자영업자	2.4	4.3	-11.4	-16.5	-6.5
- 고용원 없는 자영업자	4.4	-8.7	8.1	9.0	4.7
- 무급가족종사자	-1.7	-0.9	-2.4	3.5	-3.5

[14)]

[표 13] 종사상 지위별 취업자 추이

12) 무인화 시대, 모바일 플랫폼 역할 확대, 삼성증권, 2019.10.11
13) 엘리비젼(276240), 하이투자증권, 2021.06.10
14) 자료:통계청 경제활동인구 조사(2021)

4. 문제점

가) 기계 취약계층

무인시스템은 경영자 입장에서는 인건비 등 각종 제반 비용을 절감할 수 있는 효과적인 시스템이다. 그러나 모두에게 효과적인 시스템은 아니다. 노인층이나 아동 등 사회적 약자에게 무인시스템 서비스가 마냥 이로울 것이라고 볼 수 없다. 다른 누군가에게는 또 다른 장벽이 될 수 있는 것이다.

탑골공원(파고다공원)이 가까운 롯데리아 종각점을 예로 들수 있는데 지리적 특성상 노인손님이 많다. 매장에서 무인포스 이용을 독려하는 탓에 익숙지 않은 터치스크린을 조작해보지만, 최소 9번의 터치를 거쳐야 결제 화면으로 넘어갈 수 있도록 구성된 UI·UX는 노인들에게는 매우 어렵다. 첫 페이지에 표시되지 않은 메뉴를 고르거나 선택 실수라도 하면 터치 횟수는 배로 늘어난다.

[15]

[그림 22] 롯데리아 '무인포스'/'무인포스'를 권장하는 팻말

롯데리아 측은 노년층의 무인포스 이용 불편에 대해 "노인 고객분들이 오면 대면 주문을 받는다"라며 "불편함이 있으면 직원이 해결해주고 있다"라고 답했다. 또 무인포스의 직원 호출 기능을 소개하며 어려운 문제가 있으면 직원이 매대로 안내할 수 있다고 설명했다.

고객 이용률이 낮은 시간대에 무인포스 이용을 권하기는 하지만, 대면 주문을 아예 안 받는 것은 아니므로 문제될 것이 없다는 입장이다. 하지만 고객 입장에서는 계산대에 사람이 보이지 않고 무인포스를 이용하라는 팻말만 놓여있으면 대면 주문을 할 수 없다고 생각하기 쉽다.

이처럼 무인포스 사용을 유도하는 문구와 말들은 디지털 기기 이용에 어려움을 겪는 노년층을 소외시킬 수 있다. 노인의 정보격차 문제는 심각한 수준인데, 한국정보화진흥원(NIA)의 '2021 디지털 정보격차 실태조사'에 따르면 만 55세 이상의 장·노년층의 디지털 정보화 수준은 전체 국민의 69.1%로 조사되었다.

---

15) <무인포스 확산…햄버거 주문이 버거운 노인>, 블로터

장노년의 디지털정보화 수준은 해마다 증가하고 있지만 여전히 다른 연령에 비해 낮은 수준을 보이고 있다. 특히 70대 이상의 디지털정보화 수준은 42.4%로 전년도에 비해 증가했지만 연령대 중 가장 낮은 수준을 보였다.

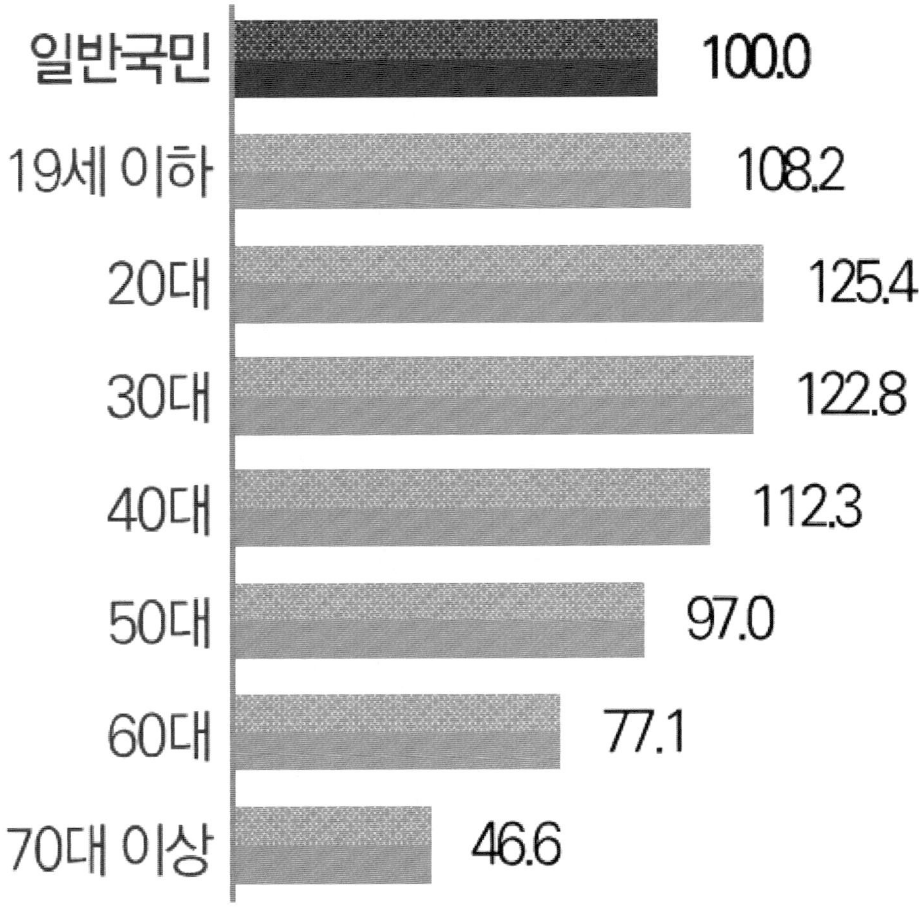

[16]

[그림 23] 연령별 디지털정보화 수준

4차 산업혁명 시대, 무인화는 피할 수 없는 흐름이다. 패스트푸드 업계의 무인 주문 시스템 도입은 세계적 추세다. 맥도날드를 비롯해 웬디, 칼스주니어, 하디스 등 미국 패스트푸드 업체들은 키오스크를 적극적으로 들이고 있다. 비용절감을 비롯해 매장운영에 있어서 무인 주문이 빠르고 효율적이기 때문이다. 고객 입장에서도 길게 줄을 서지 않고 차분히 메뉴를 선택할 수 있어 편리하다.

하지만 디지털기기를 잘 다루지 못하는 정보 소외계층에게는 도리어 불편만 가중되고 있다. 정부의 정보격차 해소에 대한 관심과 매장의 배려가 요구되는 시점이다. 무분별한 무인시스템 도입에 앞서 또 다른 불편을 초래하는 것은 아닌지 고민이 필요하다.

16) 출저: 한국정보화진흥원, '2021 디지털 정보격차 실태조사'

나) **일자리 착취 문제**

무인점포가 증가하면서 2018년 최저임금 인상과 맞물려 일자리 감소의 문제가 발생할 수 있다는 의견이 있다. 무인점포는 하루에 1~2번 매장관리나 재고관리에만 인력이 필요해 점주 혼자서도 경영이 가능하다. 편의점이나 주유소, 패스트 푸드점이 무인점포로 전환되면 아르바이트 일자리 수만 개가 사라지는 것은 당연하다는 것이다. 한국고용정보원의 '기술변화에 따른 일자리 영향 연구' 보고서를 보면, 우리나라 위험은 다른 나라들에 뒤지지 않는다. 보고서는 기술 대체 효과로 인해 2025년 우리나라에서 1800만명, 약 70%의 노동자가 일자리에 위협을 받을 것으로 전망했다.

이 분야 대표적인 연구로 꼽히는 옥스퍼드대학교의 칼 프레이와 마이클 오즈번의 2013년 연구에서, 둘은 미국 직업 가운데 47%가 사라질 위험에 처해 있다고 발표했다. 실제로 아마존고가 본격 등장하며 AI로 인한 일자리 감소가 예상되고 있다. 미국 계산원 350만명이 있는데 이 중 90만명은 슈퍼마켓과 편의점 등에 종사한다. 아마존고와 같은 매장이 확산되면 이 직업은 사라지거나 변화가 불가피하다.

전문가들은 무인점포 확산에 따른 부작용을 최소화하기 위해 일자리를 잃은 사람들에 대한 대책 같은 사회안전망 확충이 서둘러 마련돼야 한다고 입을 모으고 있지만 일자리 감소에 대한 정부나 기관의 대책은 아직 미흡하다.

Ⅲ. 응용현황

III. 응용현황

1. 금융업

사람과의 신뢰를 기반으로 하는 금융거래도 이미 비대면 서비스가 만연한지 오래다. 1990년대 ATM의 도입으로 시작된 '비대면'은 인터넷·모바일 시대를 거치면서 더욱 가속화되고 있다. 비대면 금융거래는 금융거래 시 편리하고 시간과 공간의 제약이 없어지며 창구거래보다 수수료가 저렴하거나 무료라는 장점이 있다. 이러한 장점으로 비대면 서비스는 점차 보편화되었다. 국내 시중은행의 금융거래를 살펴보면 비대면 거래가 90%를 차지하고 있다.

정부 차원에서도 비대면 금융 거래에 대한 수요를 인식하고 2015년 12월 비대면 실명확인을 통한 계좌개설을 허용하는 등 변화하는 환경에 적응하고 있다. 이후 약 1년간 총 73.4만개의 계좌가 비대면 방식으로 신규 개설되었으며, 로보어드바이저, 인터넷전문은행의 출범, 보험 및 펀드의 온라인 판매와 같이 다양한 비대면 금융거래가 확대되고 있다. 뿐만아니라 앞으로 영상, 메일, 톡 등의 비대면 채널을 이용한 온라인 본인인증 서비스와 실시간 통화내용 분석으로 인공지능(AI)엔진을 학습시켜 상담 업무 지원 및 챗봇(Chatbot)을 이용한 무인상담까지 발전하고 있다.

특히 이번 코로나19에 따른 영향 등으로 모바일결제 등 비대면 거래가 보다 활성화되고 있다. 앞으로도 정부의 디지털금융 지원정책 추진[17] 등으로 이러한 추세가 계속될 것으로 보인다. 2016년 이후 연도별 비대면 금융거래 규모의 증가 추이를 결제(송금 포함), 여신, 수신, 증권(자산운용 포함), 보험, 기타 등 6개 부문으로 구분하여 살펴보면, 2016년부터 2020년까지 4년간 6개 부문의 거래 규모는 평균 5배 이상 늘어났으며, 특히 결제 부문의 성장세(16년 대비 12.0배)가 가장 두드러졌다. [18]

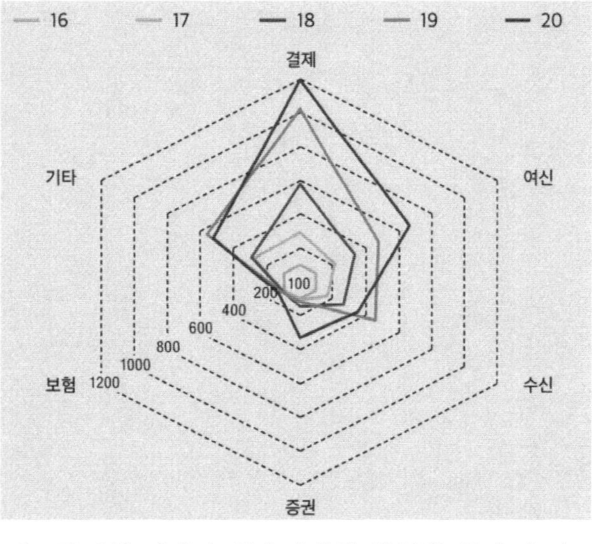

[그림 24] 비대면 금융거래의 부문별 증가 추이

---

17) 2020년 7월 정부는 관계부처 합동으로 그린 뉴딜(저탄소·친환경 경제로의 전환 유도)과 함께 디지털 뉴딜(디지털 경제로의 전환 유도) 정책을 추진하기 위한 「한국판 뉴딜 종합계획」을 발표하였다.

18) 금융안정보고서, 한국은행, 2020.12

① 결제

결제는 비대면 금융거래 중 가장 활성화된 부문으로서 2016년 이후 금융기관 및 핀테크(빅테크) 기업의 간편결제 및 간편송금 거래를 중심으로 가파른 증가세를 보여 왔다. 특히 코로나19 확산 영향으로 온라인쇼핑 등 전자상거래가 크게 확대됨에 따라 카드사의 간편결제 비중이 빠르게 상승하였다. 핀테크 기업도 카드사와의 업무제휴 또는 자체 충전금 활용 등을 통해 간편결제를 확대해나가는 추세이다. 한편 은행의 비대면 채널별로 송금·이체 등 금융거래 규모 추이를 비교해보면, 폰뱅킹 및 CD/ATM 이용 거래는 감소세를 보인 반면 인터넷뱅킹은 증가세로 전환되고 모바일뱅킹은 증가폭이 확대되었다.

② 여신·수신

금융기관의 비대면 예금·대출 거래는 IT에 기반한 온라인·무점포 영업구조를 가진 인터넷전문은행이 출범한 2017년 이후 크게 증가하기 시작하였다. 특히 은행권 가계 신용대출을 중심으로 온라인화가 빠르게 진행되는 모습이다. 기업의 경우 비대면 채널 대출잔액(20년 9월말 4.6조원, 일반은행 기준)이 가계대출(56.0조원)에 비해 크게 작지만 최근 비대면 대출상품이 다수 출시되고 있어 향후 그 규모가 커질 것으로 예상된다. 한편 비은행금융기관의 경우도 저축은행을 중심으로 비대면 대출비중이 크게 높아진 것으로 나타났다.

③ 증권·보험

증권 부문에서는 개인투자자의 접근성 제고 및 증권회사의 비용 절감 차원에서 객장거래의 비대면화가 외환위기 이후 꾸준히 진행되어 왔다. 코로나19 이후 주식시장이 회복하는 과정에서 창구거래에 비해 수수료가 저렴하고 수시로 이용할 수 있는 MTS(Mobile Trading System) 및 HTS(Home Trading System)를 통한 주식매매거래가 급증하였다. 자산운용 부문의 경우에도 온라인 전용펀드 판매규모가 최근 크게 확대되는 등 비대면 거래가 점차 늘어나는 추세이다.

전통적으로 대면 판매방식 비중이 높았던 보험 부문의 경우 손해보험을 중심으로 비대면 방식을 통한 보험가입액이 크게 증가하였다. 특히 자동차보험의 비대면 가입비중(20년 1~9월중 43.9%)이 상대적으로 높았다. 반면 손해보험에 비해 상품구조 및 약관이 복잡한 생명보험은 소비자 보호 규제 정책 강화, 보험상품의 특성(판매 시 특약·보장내역 설명 필요) 등으로 비대면 채널 활용이 제한적이었다.

④ 기타

P2P 금융, 크라우드펀딩 등은 지난해까지 핀테크 기업의 금융부문 진출 확대와 함께 꾸준한 증가세를 보여 왔다. 연체율이 급등하고 불법·불건전 영업행위 발생, 관련 사모펀드 환매 연기 등으로 자금 유입규모가 둔화되는 모습을 보였다.

가) 신한은행[19]

신한은행은 2020년 하반기 은행 점포 업무의 90% 가량을 소화할 수 있는 '디지택트 브랜치(디지털 데스크)'를 선보인데 이어 2021년 하반기에는 디지털 특화 점포 3종을 출점했다. 타 은행이 디지털 무인점포를 비롯해 특화점포를 시범운영하는 정도에 머물러 있다는 점을 감안하면 신한은행의 디지털 전환 작업히 상당한 성과를 거두고 있는 셈이다.

'디지로그 브랜치'는 신한은행 디지털 전략의 테스트베드가 되는 점포다. 디지털 키오스크, 디지털 데스크 등 현재 디지털 특화 점포에서 운영하는 기기가 가장 먼저 운영된 곳이기도 하다. '디지털 라운지'는 통·폐합이 예정된 오프라인 지점에 디지털 키오스크와 디지털 데스크를 설치해 무인으로 운영되는 디지털 점포다. 기존 오프라인 지점 업무 중 기업금융 업무를 제외한 업무 처리가 가능하고 점포 내에는 디지털 기기 사용을 돕는 컨시어지 직원이 상주한다.

[그림 25] 디지털 라운지

신한은행은 디지털 전환으로 인해 소외될 수 있는 노령층 고객 등을 위한 특화 서비스도 함께 선보이면서 주목 받았다. '디지털맞춤영업점'이 대표적이다. 디지털맞춤영업점은 점포 내 오프라인 창구와 디지털 창구가 혼합된 형태로 노령층과 단순 업무 비중이 높은 '고객중심영업점'에 우선적으로 적용되는 점이 특징이다. 기존 오프라인 창구를 유지하면서 시니어 맞춤형 디지털 기기를 설치해 시니어 고객들의 불편을 최소화하면서 디지털 요소를 가미하는 형태의 모습이다.

특히 신한은행은 고령층 고객이 많은 고객중심영업점 특성을 감안해 해당 지점들에 대한 평가 체계도 기존 영업점과 다르게 운영해 성과주의보다 고객 중심 영업을 지향할 수 있도록 운영하는 점도 특징 중 하나다.

19) 디지털 전환에서 두각 보이는 신한은행...디지털 점포 3종 런칭, '2022 CES'에 AI 시스템도 출품, 컨슈머뉴스, 2021.12.31

나) 국민은행

최근 KB국민은행은 AI은행원 키오스크를 영업점에 파일럿 형태로 도입한다고 밝혔다. AI은행원은 음성인식 기술로 고객과 대화하며 원하는 업무를 파악하는 은행원으로, KB국민은행이 자체 개발한 금융 특화 언어 모델 KB-STA가 적용됐다. AI은행원은 인공지능 기술을 통해 STM, ATM, 미리작성서비스 등 은행 업무가 가능한 주변기기 사용 방법, KB국민은행 상품 소개, 업무별 필요 서류, 키오스크 설치 지점 위치 안내가 가능하다.[20]

[그림 26] AI 은행원

KB국민은행이 이용채널과 무관하게 대면 수준의 금융서비스를 받을 수 있는 'KB 화상상담 서비스'를 시범 운영한다고 밝혔다. KB국민은행이 이번에 도입한 'KB 화상상담 서비스'는 수도권 5개 혼잡점포(등촌역지점, 불광동지점, 연희동지점, 자양동지점, 수원역지점)내 10개 창구에서 운영된다. 화상상담 전용창구가 설치된 영업점에 방문한 고객은 디지털 서포터즈의 안내를 받아 간편하게 이용할 수 있다. 'KB 화상상담 서비스'는 신분증 촬영, 비밀번호 확인 등 비대면 실명확인 절차를 통해 상담 뿐 아니라 금융상품 가입까지 가능한 서비스다. 현재는 예·적금 신규, 신용대출, 일부 투자상품 등에 대한 상담 업무가 가능하다.[21]

---

20) KB국민은행, AI은행원 키오스크 순차 오픈, 경인매일, 2022.01.26
21) KB국민은행, 수도권 혼잡점포 내 '화상상담 서비스' 시범 도입, 아주경제, 2021.12.13

다) 하나은행

하나은행은 얼굴 인증만으로 점포 출입은 물론 무인결제까지 할 수 있는 서비스를 개발하기 위해 국내 관련 기술 선도기업인 메사쿠어컴퍼니, 슈프리마, 시큐센과 전략적 파트너십 구축 업무협약을 맺었다. 이번 협약을 통해 하나은행은 바이오 인증 인프라 보유 국내 선도 기업인 파트너사들의 축적된 역량을 바탕으로, 얼굴인증 기술을 활용한 신규 서비스 개발 및 기술적 협업과 얼굴인증 기술을 활용한 서비스 마케팅 등 다양한 분야에서 협력을 진행한다.

하나은행 관계자는 이 시스템이 구축되면 하나은행에 등록된 얼굴인증 정보를 통해 오프라인에서도 출입, 무인결제 등 다양한 이용자 관리 서비스가 한꺼번에 가능해질 것이라며 이용자는 단 한번의 얼굴인증을 통해 다양한 서비스를 이용할 수 있어 앞으로 얼굴인증 서비스가 언제 어디서나 이용할 수 있는 바이오 패스가 될 것이라고 밝혔다.[22)]

BGF리테일이 업계 최초로 선보이는 상업자 표시 편의점(PLCS)인 'CU마천파크점×하나은행'이 오픈했다. BGF리테일은 지난달 하나은행과 미래형 혁신채널 구축 및 디지털 신사업 공동 추진을 위한 업무협약을 체결하고 고객에게 가장 가까운 디지털 혁신 라이프 플랫폼인 상업자 표시 편의점의 공동 개발을 위해 손을 잡았다.

'CU마천파크점×하나은행'은 서울시 송파구에 위치한 CU마천파크점을 전면 리뉴얼했다. 50여평 규모 CU마천파크점 내부 공간 중 약 12평 공간이 하나은행 스마트 셀프존으로 탈바꿈했다. 셀프존에는 50여가지 은행 업무가 가능한 종합금융기기인 스마트자동화기기(STM)와 CD기가 각각 1대씩 설치된다. STM은 일반 ATM에서 가능한 입출금, 통장정리 등의 기본 업무는 물론 화상 상담 및 바이오인증을 통해 계좌 개설, 통장 재발행, 체크카드 및 보안카드(OTP) 발급 등 영업점을 가야만 처리할 수 있었던 금융 업무도 해결할 수 있다. 상담사 연결이 필요한 일부 업무를 제외하면 24시간 이용 가능하며 수수료도 일반 은행 ATM 코너나 영업점과 동일하다.[23)]

[그림 27] CU 마전파크점

22) 하나은행, 출입 무인결제 등 오프라인서도 얼굴인증 서비스 확대한다, 푸드경제신문, 2022.01.21
23) CU서 하나은행 업무 본다...상업자 표시 편의점 국내 첫 오픈, 전자신문, 2021.10.12

2. 무인이동체

무인이동체는 기기 외부의 환경을 인식하여 스스로 이동하는 기체로 무인항공기, 자동차, 선박 및 잠수정 등이 포함될 수 있다. 기존에 이동하는 기기에 외부환경을 인식할 수 있는 카메라, 센서, 레이더 등을 장착하여 이동경로에 따라 스스로 이동하거나 원격조종할 수 있는 기체로 정의된다. 항공기, 자동차, 선박 및 잠수정 등 운전자가 탑승하여 이동하였던 기존의 기체들에 적용되어 다양한 환경에서 활용 가능하다.

무인이동체	내용	활용 지역	활용서비스
항공기(드론)	저렴한 운용비용으로 비행체 외부에서 전파·광선의 이용 및 지능화 시스템을 통해 일반적인 탑재임무 수행 등 유인 비행체 수준의 신뢰성을 가지는 무인항공기 기술	공중, 복합	물류, 모니터링 등
자율주행차	통신, 제어 및 디지털기기 등 최첨단기술을 기반으로 차선 이탈경보장치, 자율주행장치 등을 장착하여 주행안전성과 무인 이동을 획기적으로 향상시키는 지능형 자동차 기술	지상	교통, 물류, 모니터링 등
무인 선박 및 잠수정	선박 및 잠수정의 지능화를 통해 충돌 및 돌발사고를 미리 예측, 방지하며, 수중 무인 작업의 정밀성과 효율성을 향상시키는 무인화 첨단기술	수상 및 수중	교통, 물류 극한 상황

[표 14] 무인이동체의 종류

무인이동체는 무인시스템, 자율시스템, 로봇·자율시스템, 드론 등 다양한 용어로 혼용되어 사용되며, 무인이동체 세부 분야에 대한 포괄 범위에서 차이가 있다.

정의구분	주 사용주체	범위 및 특성
무인시스템	미국 국방성	이동체, 텔레메트리, 지상조종국, 후속 지원체계 포괄 분류체계: 육상무인이동체,무인기, 무인해양, 무인우주
자율시스템	미국 국방성	외부 조종(RF활용)과 자율조종으로 구분되나, 자율조종 증가추세
로봇·자율 시스템	유럽	무인시스템보다 분야를 더 포괄하는 의미로 무인기, 무인해양, 원전로봇, 지능형 운송, 무인농업, 우주개발, 스마트 시티 등 포함
드론	국내	소형 무인기, 특히 멀리콥터형에 한정하여 지칭
	미국	무인기를 포함한 해상 및 육상의 무인이동체 전반을 지칭

[표 15] 무인이동체 관련 용어별 범위 및 특성

무인이동체 관련 핵심 기술로는 시스템 통합, 탐지 및 인식, 이동 및 작업, 자율 조종 항법, 커뮤니케이션으로 나눠볼 수 있다.

기능	활용 기술	구현 능력
시스템 통합	무인이동체 기능적 요소들의 통합에 필요한 HW/SW체계, 설계, 시험평가 기술	기능적 요소 통합을 통한 완제품 구현
탐지 및 인식	MEMS센서 및 인지기술을 통해 이동체의 위치, 운동 상태와 지형, 장애물을 탐지해 인식하는 기술	외부 환경, 자체 운동량 등을 탐색하고 인식
이동 및 작업	배터리/연료전지 동력원, 전기모터·짐벌 제어 등 이동과 작업에 필요한 동력원, 동력장치, 구동장치, 작업장치 등 관련 기술	스스로 및 타 물체를 움직일 수 있는 능력
자율 조종 항법	자율지능기술, 정밀항법기술 등 인식된 상황 및 환경을 기반으로 조종제어, 임무수행, 자가진단을 수행하기 위한 기술	주어진 계획 및 계획변경을 인식, 이동 및 작업을 제어하고 고장 시 자가진단
커뮤니케이션	HMI, 데이터 통신, 네트워크 기술	임무 수행을 위하여 조종자 또는 타 무인이동체와 교류

[표 16] 무인이동체 관련 핵심 기술

가) **무인항공기**

[그림 28] 무인항공기 사진

무인항공기(드론)는 초기에 군용으로 활용되던 소형 무인기로 조종사가 탑승하지 않고 카메라 등을 통해 원격으로 조종하여 이동하는 항공기 혹은 헬기 형태의 이동체이다. 과거에 군용으로 쓰이던 무인항공기는 응용기술 발전에 힘입어 최근에는 민간에서 영상촬영, 실종자 수색, 도난차량 추적 등에 활용되고 있으며 통상적으로 드론(Drone)이라고 불린다.

구체적으로 조종사가 비행체에 직접 탑승하지 않고 지상에서 원격조종(Remote piloted), 사전 프로그램된 경로에 따라 자동(auto-piloted)또는 반자동(Semi-auto-piloted)형식으로 자율비행하거나 인공지능 탑재하여 자체 환경 판단에 따라 임무를 수행하는 비행체와 지상통제장비(GCS: Ground Control Station/System) 및 통신장비(Data) 지원 장비(Support Equipment)등의 전체 시스템을 통칭한다.

드론 기술은 원거리 제어를 위한 통신 시스템, 항공기 추진/제어기술, 외부 환경 감지와 촬영을 위한 카메라/센서 기술 등으로 구성되어 있다.

현재 드론은 월마트, 페덱스 등 물류 수송 업체에서 가장 활발하게 이용하고 있다. 활용목적에 따라 다양한 크기와 성능을 가진 드론 제품이 나오고 있다. 배달, 군대 통신, 고공촬영, 사진촬영, 농약 살포, 기상정보 수집용뿐만 아니라 개인 취미활동용으로도 인기가 높다. 정글이나 오지, 자연재해지역 등 인간이 접근할 수 없는 지역에 투입하는 등 드론의 활용 범위가 점차 확대되고 있다.

구글 모회사 알파벳의 계열사 '윙'이 미국 텍사스주 댈러스-포트워스 지역에서 상업용 드론 배송 서비스를 시작했다. 이것은 미국 대도시에서 진행하는 첫 드론 배송 서비스로, 그간 윙은 호주와 핀란드, 미 버지니아주의 소규모 마을 대상으로만 테스트를 진행해왔다. 윙은 이번 서비스를 위해 미 약국 체인점 월그린, 아이스크림 가게 블루벨 크리머리 등과 손잡았다. 고객이 스마트폰 앱을 통해 월그린의 일반 의약품과 가정용품을 주문하면, 상품을 실은 드론이 월그린 주차장에서 이륙한다.

윙의 배송 드론은 길이가 1.3m, 폭이 1m, 무게가 5.2㎏이다. 최대 시속 104.4㎞로 20㎞까지 움직일 수 있다. 왕복을 고려하면 아직은 10㎞ 떨어진 곳까지만 배송할 수 있다. 배송 가능한 무게도 1.2㎏ 이하다. 드론은 지상 약 45m 높이로 고객 집까지 날아간 뒤 물건을 매단 줄을 풀어 바닥에 내려놓는다.

아마존도 드론 배송을 본격화하고 있다. 미 경제 매체 인사이더는 아마존이 드론 배송 서비스인 아마존 '프라임 에어'를 테스트할 1300명을 모집 중이라고 보도했다. 미 캘리포니아주의 소도시인 록퍼드와 텍사스주의 칼리지스테이션에서 2022년 9월부터 의약품, 미용·반려동물 용품 등 2㎏ 이내 물품을 드론으로 배송할 예정이다.

오프라인 유통업체 최강자인 월마트도 배달 드론 업체 집라인, 드론업 등과 협업하며 드론 배송을 준비하고 있다. 월마트 본사가 있는 아칸소주에 드론 배달 기지를 만들고, 근거리 드론 배송 실험을 진행 중이다. 배송 업체인 페덱스는 내년부터 최대 480㎞까지 이동 가능한 자율비행 드론으로 시범 배송을 시작할 계획이고, UPS도 지난해 미 플로리다주의 한 마을에 물건을 수시로 나르는 지역 전용 배송 드론을 배치했다.[24)]

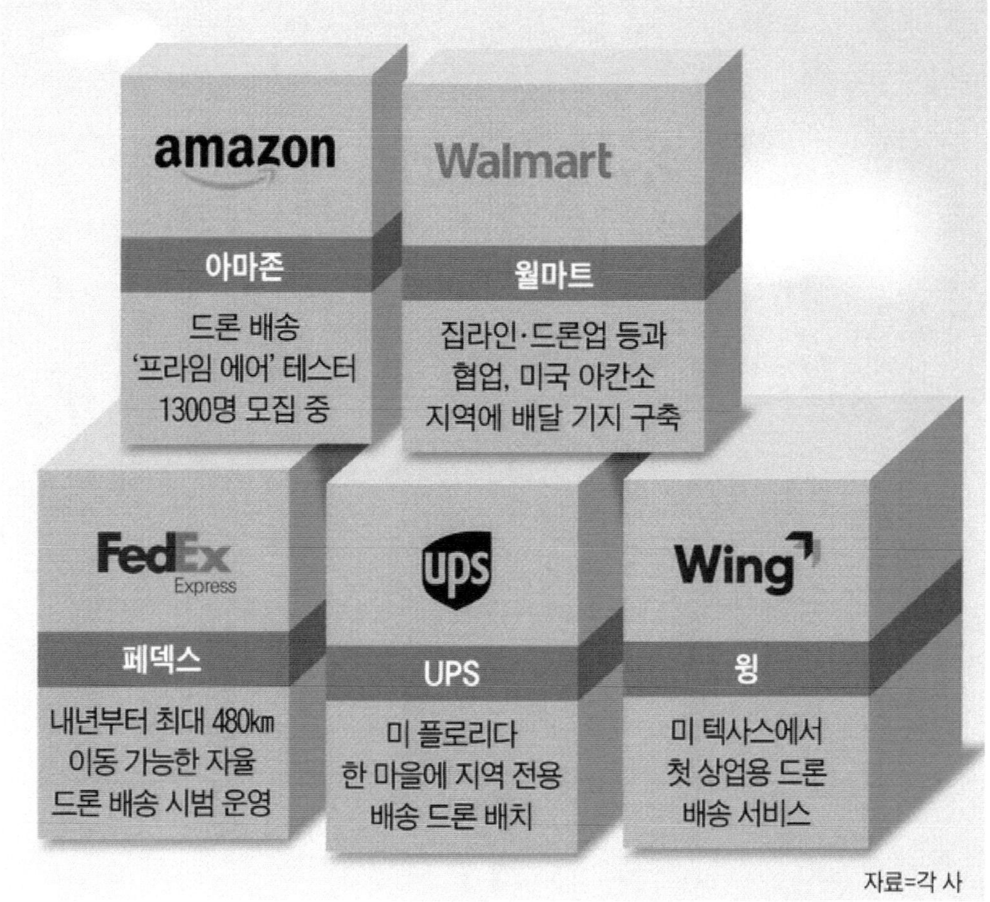

[그림 29] 드론 배송 기업

24) 왕복 20㎞ 날아 의약품 배달… 美 '드론 배송' 첫 상용화, 조선일보, 2022.04.14

나) 자율주행 자동차

무인자동차는 자율주행자동차(Autonomous Vehicle)라고도 하며 차량 운전자가 직접 운전하지 않더라도 자동차가 스스로 목적지와 주행환경을 인식하여 이동하는 자동차이다. 무인자동차 시스템은 기본적으로 무인화시스템에 맞춰 자동차를 구현한다. 전기자동차(EV)나 연료전지차(FCV)등의 전동화 기술과 결합하여 자동차의 차세대 기술의 중심이 되고 있는 것이 자율주행 기술이다.

자율주행자동차는 기술적으로 센서와 사물인터넷 기반의 V2X(차량 사물통신: Vehicle-to-Everything)가 융합되어야 구현이 가능하다. 이에 따라 기존의 기계적 자동차 기술 외에 V2X기술과 외부 환경 감지를 위한 레이더/카메라/센서 기술, 자동차 제어를 위한 자동제어 기술, 통신 등으로 구성된다.

또한 자동차 주위환경에 대한 데이터를 얻는 센서, 목적지와 지도를 구성하는 매핑, 센서를 통해 얻은 데이터와 매핑 데이터를 통합하는 인식/판단, 기타 정보를 얻기 위해 통신기술을 활용한다. 지금까지 사람의 인지와 조작을 통해서만 작동되었던 자동차의 운행시스템은 운전자 보조(DAS : Driver Assist System)방식으로 발전할 것이며 그 후 부분(Partly) 자동화를 거쳐 고도 자동화(highly Automated)방식으로 발전할 전망이다. 레이더나 카메라를 활용한 충돌 안전 브레이크나 차선유지 등의 기술을 조합해 최종적으로 운전자가 운전에 관여하지 않는 완전 자동운전의 실현을 목표로 하여 궁극적으로는 완전(Fully)자동화 운전 단계로 진화할 것으로 예상된다.

자율주행 기술의 구현이 현실화되면 자동차의 가치는 주행 성능이나 경제성보다는 고객만족에 기반한 디자인, 콘텐츠, 연결성 등의 무형적 가치의 비중이 커질 것으로 예상된다. 현재의 자동차 가치는 하드웨어 비중이 80%이지만 미래의 자율주행차에 하드웨어의 비중이 33%로 축소되는 대신, 소프트 웨어가 33%, 콘텐츠가 33%로 큰 비중을 차지할 전망이다.

현재 미국의 NGTSA는 자율주행자동차 무인화 단계를 다섯 단계로 구분하여 정의하고, 수동적인 운전자 보조 기술(Level 1)부터 적극적인 완전자율주행 기술(Level4)수준까지 발전했다. 현재 구글, 인텔, 소니 등 IT기업과 혼다, 도요타 같은 자동차 제조업체들이 무인자동차 로봇 기술 개발에 박차를 가하고 있다.

이미 실용화되고 있는 무인자동차로는 이스라엘 군에서 운용되는 미리 설정된 경로를 순찰하는 무인차량과 국외 광산이나 건설 현장 등에서 운용되고 있는 덤프 트럭 등의 무인 운행 시스템 등이 있다. 지난 2010년 구글이 무인자동차를 선보인 이후 전세계 자동차 회사들이 무인자동차 자율주행 기술개발에 열을 올리고 있다. 2013년 벤츠는 무인자동차로 100Km 자율주행에 성공했고 아우디도 2014년에 자율주행기술을 공개한 바 있다.

[그림 30] 구글 무인 자동차

[그림 31] 애플 무인자동차

우리나라 도로에서 국토부 허가를 받아 실제 운전자가 직접 운전하지 않고 돌아다니는 자율주행 차량은 200여 대다. 이중 a2z는 21대를 보유해 국내에서 가장 많다. a2z의 자율주행 차량 시험 운행거리는 서울과 부산을 230번 왕복할 수 있는 18만6622㎞로, 구글 웨이모, GM 크루즈, 포니AI, 아마존 죽스에 이어 세계 다섯째다. a2z는 2027년 완전 자율주행이 가능한 특수목적차량을 완성할 계획이다.25)

25) 청소·택배·셔틀버스, 이미 자율주행 완성… 국내 최고기술, 조선일보, 2022.04.01

다) **무인 선박**

지능을 갖춘 스마트 선박은 인간의 개입없이 폭풍우를 뚫고 바다에서 자율 운항이 가능하며 해상에서 갑자기 등장하는 장애물을 회피할 수 있는 기능을 갖추고 있다. 선장은 특정 선박의 사령탑에서 선박을 관제하는 것이 아니라 해안가 컨트롤 센터에서 복수의 무인선박을 동시에 관리가능하다. 적외선 탐지기와 고해상도 카메라, 레이저 센서 등을 통해 수진한 대량의 데이터를 육상의 중앙통제센터로 전송해 센터의 직원들이 상황을 실시간으로 모니터링 할 수 있게 하는 것이다.

무인선박 도입은 선원수를 대폭적으로 줄일 수 있고 해상사고도 최소화 할 수 있다. 여객선은 승객들을 대상으로 서비스를 제공하기 위해 많은 승무원이 탑승해야 하지만 자율적으로 움직이는 무인 화물선의 경우 굳이 많은 선원들이 탑승할 필요가 없다. 또한 현재 해상 사고의 75~96%는 승무원들의 피로가 누적돼 발생하는 것으로 알려졌는데. 또한 악천후나 해적의 공격으로부터 소중한 생명을 지킬 수 있다. 글로벌 해운 업계가 숙련된 전문 인력 부족으로 몸살을 앓고 있어 크게 문제되지 않을 것이라는 주장도 있다.

[그림 32] 미래 선장의 복수의 자율운항 선박 관리 모습
26)

자율 운항 선박은 선박의 소형화에도 기여할 전망이다. 선원이 활동하는 공간이 없어지고 브릿지, 구명정 등 전통적으로 화물선에 꼭 있어야했던 공간도 사라진다. 선박을 소형화하면 연료 효율성도 높아지고, 경량화가 가능해진다.

다만 선박 건조 비용은 더 많이 들어간다. 노르웨이에서 건조된 100m길이의 자율운항 선박인 '야라버클랜드(Yara Birckeland)'는 건조비용이 2500만 달러에 달한다. 기존의 같은 크기 선박에 비해 3배 가량 건조비용이 많이 들어간다.

26) 사진 출저: 롤스로이스

NBC에 따르면 영국 선박업체 롤스 로이스도 2018년 자율 운항을 목표로 자율운항 기능을 갖춘 선박 개발에 박차를 가하고 있으며, 보스턴에 위치한 스타트업인 '시머신즈 로보틱스(Sea Machines Robotics)'는 기존 선박을 자율운행 선박으로 바꿔주는 시스템을 개발, 본격 공급을 추진하고 있다.

[그림 33] 롤스로이스가 구상하고 있는 자율운항선박

롤스로이스는 현재 핀란드에서 현지 기업들과 합작으로 무인 선박 프로젝트를 진행 중이다. 우선 차량을 싣고 강이나 협곡을 건너는 단거리 노선에 투입한 뒤 해운분야로 적용 범위를 넓힐 계획이다. 초기에는 원격조종 방식으로 운항을 시작해 10~15년 이내에 AI기반의 완전한 무인 운항 화물선을 상용하는 것을 목표로 하고 있다.

[그림 34] 선박 커트롤러

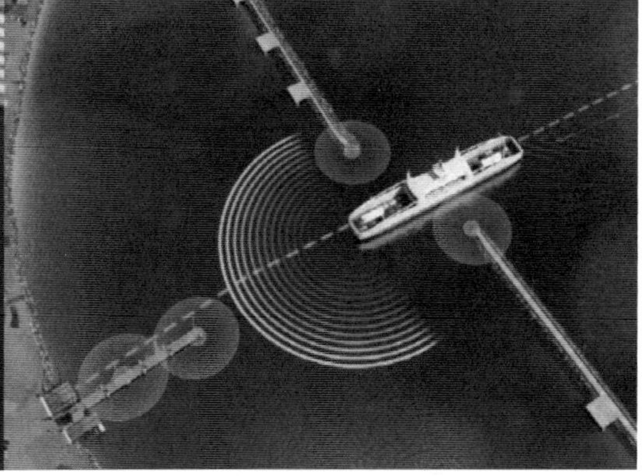

[그림 35] 정박지에서 스스로 도킹하는 선박

또한 롤스로이스 무인선박은 적외선 카메라, 레이더, 라이더 등 장비를 이용해 주변을 볼 수 있다. 이들 센서를 통해 수집되는 정보는 GPS 및 기상 정보와 결합된다. 롤스로이스는 항구에 자동으로 정박할 수 있는 자동도킹시스템의 성능 개선도 적극 추진하고 있다.

롤스로이스 측은 2018년에 처음으로 무인선박이 운항을 시작하고 2025년까지는 무인선박이 주류를 이룰 것으로 예측하고 있다. 롤스로이스 해양사업부 오스마카르 레반데르 혁신담당 부사장은 자율운항 혹은 무인 선박이 도입되면 선원들의 인건비를 줄일 수 있어 비용을 최대 22%까지 절감할 수 있을 것으로 예상했다. 승선자들을 지원하는 설비들을 적재할 필요도 없어지는 만큼 연료효율도 개선될 수 있다.

[그림 36] 롤스로이스의 자율운항 무인선박 시스템

유럽연합(EU)과 중국에서도 무인 해운 선박 상용화를 위한 기술적·경제적·법적 타당성 조사가 한창이다. EU는 독일 함부르크에 있는 프라운호퍼 해운 연구소 주도로 관련 연구를 진행 중이다.

최근 국내에서는 무인선박 규제자유특구로 지정된 경남 해상에서 진행된 무인선박 해상 실증이 성공적으로 마무리됐다. 진해만에서 진행된 해검Ⅱ 해상 운항은 LIG넥스원이 경남도, 창원시, 마산해상교통관제(VTS) 등의 협조를 받아 시속 35노트(64.82㎞) 속력으로 기동 시험을 펼쳤다. LIG넥스원 관계자는 '해검Ⅱ'의 S자·원형·제자리 회전과 최대 속력 등 무사히 기동 운항을 마쳤다고 설명했다.27)

27) 경남도, 해검Ⅱ 운항 등 `무인선박` 실증 성공, 매일경제, 2020.09.23

3. 무인 보안

무인 보안시스템은 초기에는 일부 한정된 장소나 시설에서 도난을 예방하기 위한 방범서비스를 목적으로 구축되었으나, 갈수록 화재나 가스 및 누수 감지 등 다양한 서비스를 구현하면서 차별화된 서비스를 제공하게 되었다. 더 나아가 주요 관공서 및 산업시설, 군사시설 등에서 비인가자의 출입통제 및 시설 침입방지 등을 수행하는 보안업무분야까지 확대하고 있다.

무인 보안시스템은 주·야간 카메라와 다양한 센서 기술의 발달과 함께 임무와 환경변화에 따라 적외선, 자기센서, 마이크로웨이브 등 복합적으로 운용하는 통합된 무인보안시스템으로 발전하고 있다.

무인보안시스템은 감시시스템, 감지시스템, 통제시스템으로 구분할 수 있다. 먼저 감시시스템의 운용현황을 살펴보면 감시시스템은 단순한 모니터링 수준에서 영상신호를 실시간으로 전송하여 사람, 자동차와 같은 움직이는 물체를 탐지 및 추적을 수행하고 이를 바탕으로 경보발령, 녹화, 검색 기능 등을 제공하는 지능형 영상시스템으로 발전하고 있다. 현재까지 운용되는 대부분 감시시스템의 영상변화 인식 기술은 이동물체에 대한 자동탐지(Motion Detection)기능을 카메라 또는 DVR장비의 소프트웨어로 개발하여 운용하고 있다.

그러나 영상변화를 인식하는 기술인 자동탐지는 단순하게 영상변화를 인식하는 정도의 기술로, 그림자나 조명 등과 같은 주변 환경요인에 의해 신뢰도가 떨어지는 단점이 있다. 감시용 카메라의 촬영방식은 능동방식과 수동방식으로 구분된다. 능동방식 카메라는 레이저 조사기나 전조등과 같이 빛을 조사하여 물체로부터 반사되는 빛을 이용하여 사물을 관측하는 방식이다. 이 방식은 주간감시용 카메라를 야간에 그대로 사용할 수 있어 비용이 상대적으로 저렴한 반면, 야간에 적이 카메라 운용지점을 관측할 수 있고 원거리 운용이 제한되는 단점이 있다.

감지시스템은 일반적으로 광케이블을 통한 광망이나 장력감지형태로 운용되며 기술 및 원리에 따라 광섬유를 이용한 광망형, 외부의 전자파 및 유도전력의 변화를 감지하는 케이블형, 외부의 장력변화를 감지하는 장력형, 적외선 신호 차단 시 감지되는 적외선 감지기, 무선주파수를 방사하여 반사되는 신호를 감지하는 UWB(Ultra-Wide band)감지기 등 다양한 방식과 기술이 사용된다. 국외는 광케이블을 이용한 외곽 감지 시스템을 도입하여 국내에 설치운용하고 있다.

통제시스템은 상황 통합 전시, 상황관제 및 전파, 표적 위치 자동 산출, 체계연동 등 주 구성요소가 소프트웨어로 기술개발 요소가 가장 많은 분야이다. 상황 통합 전시기술은 경계시스템에 포함되는 센서의 종류가 다양해지고 음성, 영상 등 정보량이 대용량이 되면서 빠르게 발전하고 있다.

현재 많은 보안 관련 정보를 전달할 수 있는 광케이블을 이용한 고용량 데이터 전송 시스템 구축과 여러 개의 모니터에 1개의 영상을, 또는 여러 개의 영상을 1개의 모니터에 구현이 가능한 수준이다.

상황 관제 및 전파 기술은 상황발생 시 영상 전송 및 경보를 전파하고 카메라 제어권을 교환할 수 있는 기술 등은 개발되었으나, 중앙 통제소로부터 제어되는 개념에서 유·무선통신망을 통해 분산 통제가 가능한 시스템으로 전환하는 기술은 연구 중에 있다. 통제 시스템에 탑재되는 소프트웨어 기반의 자료 변환기능은 다양한 센서로부터 수집한 정보에 대한 상호 데이터 처리 및 통합 및 분배가 가능한 수준이다. 28)

최근 AI 얼굴인식 기술을 기반으로 비접촉 출입 통제, 모바일 출입카드, 무인매장 솔루션 등 출입 보안 시장의 혁신을 선도하고 있는 '슈프리마'는 안전하고 편리한 무인 매장 관리를 위한 '무인매장 솔루션'과 3세대 보안 솔루션 첫 제품인 '바이오스테이션(BioStation 3)'을 선보였다. '무인매장 솔루션'은 슈프리마의 독보적인 보안 기술과 카카오톡 지갑 QR이 결합돼, 안전하고 효율적인 무인 매장 운영을 지원하는 출입인증 솔루션이다. '바이오스테이션 3'는 비접촉 솔루션에 특화된 3세대 보안 솔루션으로 얼굴인식과 QR코드, 바코드, 모바일 출입카드, RFID 등 다양한 크리덴셜 옵션을 제공하는 올인원 출입통제 솔루션이다.29)

국내 기업 에스원은 차세대 얼굴인식기술, 지능형 CCTV, 초광대역무선통신(UWB) 센서 고도화를 핵심 과제로 R&D에 속도를 내고 있다. 에스원은 기존 얼굴인식 솔루션을 마스크 착용이 의무화된 상황에서도 원활히 기능할 수 있도록 기술을 고도화했다. 얼굴인식 솔루션 정확도를 일반적 수준인 70%에서 90%로 높이는 데 성공했다. 비결은 알고리즘과 데이터 부문 강점이다. 에스원은 딥러닝 알고리즘을 자체적으로 최적화해 인식 속도를 제고했다.

에스원이 자체 개발한 영상인식 분석 알고리즘은 외부인 침입 시도, 난동, 장기 체류 등 이상 행동을 AI가 자동으로 분석하고 사고를 예방한다. 일반행동과 난동을 구분하는 알고리즘은 고객 점포 등에서 축적한 데이터를 기반으로 정밀함을 자랑한다. 난동 등 특이행동을 정밀 구분하는 최정상급 영상분석솔루션 기술을 보유했다. 영상인식 분석 알고리즘 무인매장에도 최적화됐다. 지능형 CCTV로 무인편의점 내 절도, 기물파손 및 난동, 화재 등을 자동으로 감지하고 경보를 울린다. 이상 상황이 발생하면 관제센터에서 편의점 내부에 원격 경고방송을 통해 범죄를 저지하고 필요할 때는 보안요원을 출동시킨다. 또한, 비명, 구조 요청 같은 소리에도 반응한다. 음원감지 센서가 CCTV로는 확인할 수 없는 상황을 감지, 관제 센터에 알린다.30)

HN시큐리티는 기존의 자체 개발 손바닥 정맥 생체인식 출입통제기 'WEBICS(위빅스)' 시스템에 손동작을 인식하는 제스처 인터페이스를 적용한 새로운 출입 통제 제품 'WEBICS HIVEN(위빅스 하이븐)'을 소개했다. 높은 보안성과 비접촉 인증 기술은 그대로 유지하면서 모바일 시스템과 연동 가능한 방문자용 QR코드 인식·인증 기술을 추가 적용한 것이 특징으로, HN시큐리티의 WEBICS IoT 플랫폼을 통해 언제 어디서나 실시간으로 보안 상태를 확인하고 제어할 수 있다.31)

---

28) 0.3초만에 얼굴인식… `비대면 솔루션` 늘리는 물리보안 빅3, 디지털타임스, 2020.09.07
29) [SECON & eGISEC 2022] 슈프리마, 무인매장 및 3세대 보안 솔루션으로 참관객 눈길 사로잡아, 보안뉴스, 2022.04.20
30) 에스원 R&D센터, 차세대 보안 기술 개발 '산실, 전자신문, 2022.04.24
31) HN-HN시큐리티-에이치닥테크놀로지, 제21회 세계 보안 엑스포서 미래 보안 기술 선보여, EPNC, 2022.04.21

4. 무인 점포

가) 무인편의점

무인편의점은 일반 편의점과 똑같은 구조이지만 자동판매기에 냉장식품, 즉석식품, 과자류, 음료, 커피 등이 구비돼 있고, 자판기 결제와 똑같은 시스템으로 구매하면 된다. 라면의 경우 일반 편의점보다 종류가 다양해 골라 먹는 재미도 있다. 365일 24시간 운영되며, 매장 한편에는 테이블이 마련돼 있어 편안하게 식사를 즐길 수 있다. 한쪽 구석에는 개인금고, 개인 택배함, 개인 보관함이 설치돼 있어 기타 용도로 사용 가능한데, 마치 개인 금고와 비슷하다. 인테리어나 자판기 내부, 정수기 등 시설은 사람이 관리하는 일반 편의점보다 깨끗해 안심하고 사용할 수 있다. 인건비가 전혀 들지 않고 소자본으로 시작할 수 있다는 점에서 새로운 창업 아이템으로 각광받고 있다.

[그림 37] 무인 편의점

아마존은 현재 계산대가 없는 식료품 편의점인 '아마존 고'를 시범운영 중이다. 아마존 고 앱을 실행한 후 입구에서 QR코드를 스캔하면 매장 출입이 가능하다. 원하는 상품을 선택하면 카메라와 RFID(Radio-Frequency Identification : 무선전자 태그)를 활용해 자동으로 가상 장바구니에 상품이 담기게 되고 매장을 나오면 아마존 계정에 연결돼 있는 계좌에서 결제가 이루어진다. 또한 유기농 식품매장인 홀푸드 마켓을 인수해 거점 확보에 나서는 등 아마존 고 정식 오픈 준비에 한창이다.

월스트리트 저널은 향후 아마존이 무인 시스템을 활용해 2,000개 이상의 식품매장을 열 계획이라고 보도한 바 있다. 월마트 역시 계산대가 필요 없는 '스캔앤 고'서비스를 시행하고 있다. 고객이 매장 내에서 스캔앤 고 앱으로 상품바코드를 스캔한 후 앱에서 결제를 끝내고 매장을 나갈 때 전자 영수증만 보여주면 되는 방식이다. 월마트는 자회사인 샘스 클럽 650여 개 매장에 스캔앤 고 서비스를 확대했다.

현재 무인 편의점에 도입된 주요 기술은 머신비전과 전자태그(RFID), 사물인터넷(IoT) 등이다. 머신비전은 AI 기반 동영상·이미지 분석을 통해 고객의 구매 행동을 식별하는 기술이다. 매장 곳곳에 설치된 3D 카메라와 무게 감지센서가 고객 동선과 구매 품목을 인식한다. 카메라 영상 인식과 로드셀 인식값을 종합해 정확도를 높였다.

RFID는 반도체 칩이 내장된 태그, 라벨, 카드 등의 저장된 데이터를 무선 주파수를 이용해 비접촉으로 읽어내는 시스템이다. 제품을 무인계산대에 올려놓으면 부착된 RFID를 자동으로 인식해 결제가 진행된다. 국내서는 QR코드를 활용한 비접촉 결제 시스템도 늘고 있다.

기술이 점차 고도화되면서 원하는 상품을 집어 들고 매장을 걸어 나가면 결제가 자동으로 완료되는 무인 편의점도 등장했다. 미국 아마존고의 '저스트 워크아웃' 기술이 대표적이다. 냉동고 문 열림 감지 등 무인매장 운영 전반은 IoT 기술을 활용한 통합 모니터링 시스템을 통해 원격 관리한다.

국내 무인 편의점은 크게 완전 무인형과 하이브리드형 두 가지 종류로 나뉜다. 그 중에서도 낮에는 점원이 상주하고 심야시간에만 무인으로 운영되는 하이브리드 매장이 주를 이룬다. 하이브리드형 매장의 경우 완전 무인매장보다 비용 효율성 측면에서 유리하기 때문에 상용화 속도가 빠르다. 현재 국내 주요 편의점 4사가 운영하는 하이브리드 매장은 전국 1000여개에 달한다.

최근에는 무인 주류 자판기 도입이 허용되면서 편의점 무인화에 탄력이 붙었다. 지금까지 주류는 대면 성인인증을 거쳐야 판매가 가능했기 때문에 무인매장에서는 판매가 불가했다. 야간 매출의 큰 비중을 차지하는 주류 판매를 포기해야 한다는 점에서 심야 시간대 무인 매장 운영에 걸림돌로 작용했다. 무인 주류 자판기가 상용화되면 무인 편의점 매출 향상에도 도움이 될 전망이다.

BGF리테일이 2020년 1월 인천 송도에 선보인 '테크 프렌들리 CU' 1호점은 최첨단 리테일 기술을 접목한 스마트 무인 편의점이다. CU삼성바이오에피스점에는 자체 개발한 '클라우드 POS 시스템'이 도입됐다. 클라우드 POS 시스템은 결제 수단과 멤버십 서비스, 제휴 할인 적용 여부, 월별 행사 품목 등 정보를 암호화해 실시간 업데이트한다.

점포 내부에 설치된 30대 AI 카메라와 선반 무게 센서가 고객의 최종 쇼핑 리스트를 파악하면 POS 시스템이 이를 상품 정보, 행사 정보 등과 결합시킨다. 결제는 고객이 점포 게이트를 통과하는 즉시 사전에 등록한 셀프 결제 애플리케이션 'CU 바이셀프'를 통해 자동으로 이뤄지며 영수증 역시 해당 앱으로 전송된다.

스마트 편의점의 문제점으로 꼽혀왔던 출입 편의와 보안은 나이스정보통신과 기술 제휴를 통한 안면 인증 시스템으로 해결했다. 고객이 CU삼성바이오에피스점 입구에 설치된 안면 등록 키오스크에서 안면 정보와 'CU 바이셀프' 정보를 최초 1회만 등록하면 페이스 스캔만으로 매장 출입과 상품 결제가 가능하다.

업계 처음으로 주류 무인 자동판매기도 상용화했다. CU 평창더화이트호텔점에 설치된 스마트 선반 냉장고 자판기는 신세계아이앤씨가 개발한 모델로, AI 비전과 무게센서 기술 등이 적용됐다. 소비자는 PASS 앱을 통해 본인 인증 후에 문을 열어 주류 상품을 선택한 후, 문을 닫으면 상품과 가격정보를 인식해 자동으로 결제된다.

GS리테일이 2019년 BC카드 본사에 선보인 GS25 을지스마트점은 대표적 미래형 무인 편의점이다. 계산대를 없애고 안면 인식 결제 시스템과 스마트 스캐너를 활용한 디지털 혁신 점포로 구현했다. GS25 을지스마트점에는 QR코드를 통한 개인식별과 고객 행동 딥러닝 스마트 카메라, 재고 파악을 위한 무게 감지 센서, 영상 인식 스피커를 통한 고객 인사, AI 결제 등 다양한 미래형 디지털 유통 기술이 도입됐다.

고객은 BC페이북의 QR코드를 스피드게이트에 접촉해 입장이 가능하다. 고객이 점포에 들어가면 34대의 딥러닝 스마트 카메라가 고객 행동을 인식한다. 매대별로 장착된 총 300여개의 무게 감지 센서가 딥러닝 스마트 카메라와 함께 고객의 구매 행동을 학습하고 규명한다. 물건을 고르고 스피드게이트를 빠져나오면 AI기술이 적용된 결제 시스템이 자동으로 결제해 고객에게 모바일 영수증을 제공한다.

구매 과정과 관련한 첨단기술 외에도 친절 서비스를 위한 영상 인식 스피커 운영 기술도 선보인다. 영상 인식 스피커는 카메라를 통해 고객이 특정 장소에 있거나 특정 행동을 할 때 미리 정해 놓은 음성이 스피커를 통해 안내되는 장비다.

GS25 무인형 매장은 미래형 기술 실증 형태의 무인 스마트형 매장과 셀프 결제 기반의 무인 셀프형으로 구분된다. 무인 셀프형의 경우 야간에 무인 전환하는 하이브리드 매장으로 가맹점에 상용화됐다. GS25는 450여개 무인 편의점을 운영 중이며 연말까지 550여개로 확대한다는 계획이다.

세븐일레븐이 2017년 업계 처음으로 선보인 스마트 무인 편의점 '시그니처'는 다양한 디지털 기술을 갖췄다. 우선 보안을 위한 이중 출입 게이트를 도입했다. 출입인증 단말기에서 신용카드, 엘포인트, 카카오톡 지갑 등을 통해 1차 인증을 거치면 첫 번째 게이트가 열리고, 이후 스마트CCTV로 안면 이미지 자동촬영 과정을 추가로 거쳐야 점포에 입장할 수 있다.

또 AI 결제 로봇 '브니'는 안면인식, 문자음성 자동변환, 이미지·모션 센서 등 다양한 신기술이 탑재돼 기존 무인 결제 과정에서 찾기 어려웠던 접객 서비스를 제공한다. 브니는 안면인식 카메라를 통해 사전에 고객 정보를 입력하고 성인인증을 할 수 있는 기술도 확보, 특허 등록까지 마쳤다.

고객동선 인식시스템은 점포 내부 바닥에 설치된 다목적 전자인식셀을 통해 다양한 데이터를 축적, 점포 운영 보안성과 효율성을 높였다. 총 75개의 전자인식셀이 고객 입점 순간부터 구매 및 퇴점까지 동선을 파악, 실시간 고객 이동 데이터와 상품 구매 데이터를 생성한다. 이를 통해 비상 상황을 감지하고 상품 정보·위치 음성 서비스, 구역별 이동 이력, 체류시간 등을 분석할 수 있다.

DT 랩 스토어에서는 3D 라이다와 AI 결품관리, 통합관제 시스템, AI 휴먼 등 네 가지 핵심 기술을 테스트한다. 3D 라이다는 점포 내 고객 동선 분석을 통한 최적의 상품 운영 전략을 찾기 위한 시스템으로 국내 편의점에 최초로 도입했다. 상품을 들고 걸어나오면 스마트폰 앱을 통해 결제되는 기술인 '비전앤픽'도 선보였다. 아마존고 저스트 워크 아웃과 달리 카메라만을 활용해 비전기술을 구현한 것이 특징이다.

이마트24는 그룹 계열사인 신세계아이앤씨와 협업한 미래형 편의점 '김포DC점'을 통해 다양한 무인화 기술을 고도화하고 있다. 이 매장은 컴퓨터비전, 센서퓨전, AI, 머신러닝 등 첨단기술을 집약했다. 매장 내 설치된 카메라와 센서가 고객의 쇼핑 동선을 추적하고 상품 정보를 인식한다. 고객이 진열된 상품을 들고 나오기만 하면 자동 결제된다.

이마트24는 그동안 다양한 셀프 결제 시스템을 테스트하면서 가맹점의 운영 편의와 고객의 구매 편의에 초점을 맞춘 하이브리드 매장 시스템을 구축하고 있다. 최근 본점에 도입한 AI기반 주류 무인판매 머신도 컴퓨터비전과 무게센서 등 김포DC점 기술을 적용한 사례다.

주류 무인판매기 선반에는 상품을 인식하기 위한 12개 카메라가 설치돼 있다. 고객이 문을 열고 상품을 꺼낼 때 양쪽 카메라가 모양을 인식하고, 이미지 학습 AI가 어떤 상품인지를 인지한다. 이때 상품의 무게센서가 고객이 집어 드는 상품 무게를 인식한다. 고객이 주류 판매기에서 상품을 집어들 때 컴퓨터비전이 이미지를 인식하고, 해당 상품 무게를 감지해 몇 개를 구매하는지 AI가 복합적으로 판단하는 기술이다. 이를 통해 문을 닫으면 자동으로 결제가 되는 시스템을 구축했다.

이마트24는 스마트폰 하나로 출입부터 결제까지 해결할 수 있도록 모바일 인증 시스템도 구축했다. 네이버 앱을 통해 QR 바코드 형태인 '네이버 출입증'을 발급받거나 카카오톡 지갑 QR를 통해 출입이 가능하다.[32]

32) [산업리포트]'무인 편의점' 확산…신소매 생태계 커진다, 전자신문, 2021.08.10

나) **백화점 및 점포**

현대백화점그룹 IT전문 기업 현대IT&E와 아마존웹서비스(AWS)가 협업해 만든 무인매장 '언커먼 스토어'는 하루 평균 250명이 매장을 찾은 것으로 주말에는 입장 대기 순번이 800번대까지 이어지는 등 관심을 받고 있다. 언커먼 스토어에서는 '현대식품관 투홈' 앱의 QR코드를 인식해 매장에 입장한 후 상품을 가지고 나가면 사전에 등록해 놓은 결제수단으로 3분 내 자동으로 결제가 된다. 자동 결제는 천장에 설치된 40여 대 AI 탑재 카메라와 150여 개 무게 감지 센서가 고객과 상품 이동을 추적하고 무게 변화를 읽어내 이뤄진다.33)

[그림 38] 언커먼 스토어

패션 매장 또한 무인 점포가 속속 등장하고 있다. 인건비 절감은 물론 지역 상생까지 가능하다. 양천구에서 무인 패션 매장 '압구정 빈티지'를 오픈하고 관리하는 MD는 경기대학교에서 경영학 박사과정 중 교수님들의 자문을 얻어 사업을 기획했다. 신용카드나 교통카드를 찍으면 매장 입장이 가능하고 들어가면 국문과 영문으로 안내 멘트가 흘러나온다. 원하는 옷을 직원 눈치 볼 것 없이 입어보고 충분히 살펴본 후 셀프로 결제하면 끝이다. KT 기가 긴급출동 시스템과 CCTV 4대를 통해 도난을 방지하고 있다. 또 매장에 들어올 때 카드 인식을 통해 개인 정보를 수집하기 때문에 도난 등 범죄 발생 시 빠른 해결이 가능하다.

용산구에서 무인 패션 매장을 운영하는 '메종레아'는 오픈 이후 고객들의 발길이 끊이지 않는다. 매장 근처 아모레 퍼시픽 직장인들을 포함한 젊은 세대들이 주로 방문한다. 이 무인 매장은 커뮤니크에서 운영하는 온라인 쇼핑몰 메종레아 런칭 이후 실제 옷을 입어보고 싶어하는 고객들의 요청으로 만들어졌다. 방문 고객들은 지하 무인 매장에서 꼭 사야한다는 부담 없이 상품을 입어보고 스스로 선반 아래 배치된 새 상품을 가져가 1층 카페에서 결제한다.34)

---

33) 현대백화점 무인매장 '언커먼 스토어' 누적 방문객 10만명 돌파, 아이뉴스24, 2022.03.31
34) MZ Report-20] MZ는 무인점포에서 쇼핑한다, 한국섬유신문, 2022.01.14

다) **무인 세탁소**

무인세탁소는 기존 세탁소 이용의 불편함을 개선해 365일 24시간 언제나 편리한 시간에 세탁물을 맡기고 찾아갈 수 있는 신개념 세탁 서비스이다. 터치스크린의 안내에 따라 로커를 열고 세탁물을 맡기면 수거-배송팀이 세탁물을 찾아가 세탁한 후 다시 로커에 넣어놓는 시스템인데, '세탁물 도착' 메시지를 받으면 결제 후 세탁물을 찾아오면 된다. 세탁소 주인에게 의상을 맡기고 세탁할 부분을 설명하고, 비용 때문에 실랑이 할 필요가 없다. 원하는 시간에 세탁물을 찾을 수 있을 뿐만 아니라 수선, 리폼까지 가능하다.

[그림 39] 무인 세탁소

1인가구와 맞벌이 부부, 워킹맘이 증가하면서 일상복이나 속옷 같은 생활빨래도 빨래방에 맡기는 트렌드 덕분에 앞으로 수요는 계속해서 증가할 것으로 예상된다. 특별한 기술이나 장비 없이도 빨래방을 차릴수 있고 인건비도 거의 안 들어 창업 또는 투잡 아이템으로도 각광받고 있다.

최근 친환경 세탁서비스 청춘세탁이 세탁관리 자동화 시스템 관련 특허등록을 마치고 24시간 비대면 로봇 자동화 세탁(Robotic Process Automation, RPA) 서비스와 워터클리닝 공법을 도입한 친환경 스마트 세탁소를 도입했다. 청춘세탁 RPA서비스는 로봇 자동화 세탁시스템으로, 365일 24시간 언제든 무인 키오스크를 통해 로봇이 세탁물을 자동으로 입·출고할 수 있다. 1일 1000명의 고객이 세탁물을 출고할 수 있으며, 입고는 무제한 가능하다.[35] 최근 청춘세탁은 서울지역으로 서비스를 확대했다.

35) 청춘세탁, 비대면 로봇 세탁 서비스 시범운영, 로봇신문, 2020.09.15

라) 무인 헬스장

외국의 경우 트레이너 없는 무인 헬스장도 있다. 헬스장 한편에 설치된 스크린으로 원하는 부위의 운동방법을 보며 따라 할 수 있는 무인 헬스장이 있지만 우리나라는 아직까지 스크린 도입은 되지 않았다. 다만 집에서 홈 트레이닝을 하는 것보다 많은 여러 가지 운동기구가 있고, 트레이너의 영업 스트레스를 받지 않아도 된다는 점에서 무인 헬스장을 찾는 사람이 늘고 있다.

24시간 운영되기 때문에 늦은 저녁이나 새벽시간에도 운동을 할 수 있다는 점, 인건비 절약을 통해 비용이 저렴하다는 것도 최대 장점이다. 상주하는 직원이 없어 아무나 들어오는 것을 방지할 회원카드를 발급하는데 재발급 절차가 매우 까다롭다는 단점도 있다.

[그림 40] 무인 헬스장

최근 국내에서도 주식회사 열린이 차별화된 무인헬스장 시스템을 개발하고 의정부에 1호점 론칭을 성공했다고 밝혔다. 오픈짐은 24시간 한달 2만4000원의 국민가격을 앞세워 오픈 한달 만에 400명을 돌파하며 그 기세를 이어가고 있다. 오픈짐은 말그대로 언제나 누구에게나 열려있는 헬스장으로 친밀하고 편안한 콘셉트를 선보이며, 최고급 장비를 바탕으로 오픈짐만의 독특한 오픈트레이닝 서비스를 제공한다.

특히 오픈 트레이닝 시스템은 자체 영상트레이닝 시스템으로 무인헬스클럽의 트레이너 공백을 채워나아가고 있다. 오픈 트레이닝 시스템은 오픈짐에서 자체 개발한 운동 레슨 프로그램으로 회원에게 무료로 제공되며, 홈트레이닝 서비스까지 제공된다. 오픈짐 이용 중인 회원은 눈치 보지 않고 다양한 모니터에서 운동방법을 알려주고, 쉽게 따라 할 수 있어서 너무 좋다며 부담없고 실용적인 서비스에 만족감을 나타내기도 했다.[36]

---

36) 열린, 24시 헬스장 프랜차이즈 '오픈짐' 1호점 의정부에 론칭, 한국데이터경제신문, 2020.02.11

마) **무인카페**

최근 중국 상하이에서는 도시를 봉쇄하고 코로나19와 혈투를 벌이는 상황에서 로봇 기업이 주요 방역 관련 기관에 무인 로봇 카페를 설치, 24시간 정상 운영하고 있어 화제를 불러일으켰다. 상하이 시내 '코페플러스(COFE+)' 로봇 카페는 24시간 무인 서비스 운영을 지속하고 있다. 커피를 제조한 이후 언택트 방식으로 도시 방범 담당 인력 등 필요로 하는 이들에게 음료를 전달하고 있다.

[그림 41] 코페플러스

코페플러스는 싱글 침대 크기의 면적만으로 평균 50초에 1컵의 음료를 만들어낼 수 있다. 갓 로스팅한 커피 이외에도 밀크티, 일본식 말차, 초콜릿 음료 등 네 가지 카테고리에서 50가지 이상의 맛을 지닌 고급 음료를 만든다. 하루 30분이면 유지보수 작업을 완료하고 24시간 연속 가동이 가능하다. 또한 폐쇄 방식으로 운영된다는 점에서 위생이 보장된다.[37]

국내에서도 무인카페가 활성화되고 있는데 다날의 프랜차이즈 커피전문 브랜드 달콤커피는 서울 서초구 반포한강공원 세빛섬에서 '비트(b;eat)'비즈니스 컨퍼런스를 열어 업계 최초 로봇카페 '비트'를 공개하고 스마트카페 사업을 시작했다. 비트는 첨단 로봇기술을 융합해 주문부터 결제까지 앱 하나로 간편하게 이용할 수 있도록 한 로봇카페이다. 고객이 주문한 커피와 음료 등의 메뉴를 시간당 최대 90잔까지 제조할 수 있다. 커피류, 라떼류, 핫초코 등 총 14가지 음료 제조가 가능하며 완성된 음료는 주문자에게 전달될 때까지 히팅과 쿨링 시스템이 적용된다.

37) 中 상하이 '코로나19' 봉쇄 속 무인 로봇 카페 화제, 로봇신문, 2022.04.05

달콤커피가 자체 개발한 로보틱스 프로그램을 통해 매장을 하나의 서버로 구성하고 음료의 제조부터 보관, 픽업, 폐기 등 전반적인 서비스 운영을 자동화해 외부에서도 매장의 가동 및 중지 등 전체적인 부스 제어를 가능하도록 했다. 또한 자동세척 시스템으로 청결 및 위생관리가 가능하곡 디지털 위생점검표를 통한 식재료 수급과 유통 등 투명한 관리가 가능하도록 설계됐다. 비트바이저(관리자)의 방문 및 원격제어를 통한 실시간 모니터링, 그리고 50여 가지 체크리스트에 따른 체계적인 관리도 진행하고 있다.

큐브타입으로 된 비트는 가로와 세로, 높이가 약 2m로 5~7㎡(1.5~2.0평)정도의 공간에 설치할 수 있으며 공항, 항만, 쇼핑몰, 사내카페테리아, 대학교, 지하철, 호텔 등에 설치해 운영될 예정이다. 비트는 다날의 모바일 결제서비스를 장착해 스마트폰 앱을 통해 주문하고 휴대폰 결제와 신용카드, 카카오페이 등 다양한 결제수단으로 이용가능하다. 앱이 없더라도 외국인이나 관광객 등을 위해 키오스크를 통해 글로벌 신용카드로 결제할 수 있도록 했다. 이미 인천공항 제 2터미널에 입점해 운영되고 있다.

[그림 42] 다날 커피전문브랜드 달콤커피 무인카페 '비트'

최근 국내 고속도로 휴게소에서는 아이스아메리카노를 만들어 판매하는 로봇이 있는 곳, 무인로봇카페가 등장해 꾸준한 인기를 이어가고 있다. 한국도로공사에 따르면, 공사는 포스트코로나 등 지난해 3월부터 바리스타, 조리, 서빙 등이 가능한 로봇을 전국 고속도로 휴게소에 시범·도입해 운영하고 있다. 현재 바리스타 로봇의 경우 안성휴게소(서울방향) 화성휴게소(목포방향), 옥산휴게소(부산방향), 동해휴게소(삼척방향) 장흥정남진 휴게소에서 운영 중이며 커피는 물론 유기농베리, 버블티 등 음료도 만들어 판매하고 있다. 매장 앞 키오스크를 통해 주문·결제하면, 약 50초~1분 30초면 원하는 상품을 수령할 수 있다. 또 무인카페의 장점을 살려 24시간 편리하게 이용할 수 있으며, 하루 1회 이상 매장 청소를 해 식품안전과 위생, 청결에도 힘쓰고 있다.[38]

38) [포토] '로봇이 만든 커피 마셔볼까'...고속도로 휴게소에 속속 등장하는 '로봇', 중앙신문, 2022.03.29

5. 기타

가) 무인보관함[39)]

이커머스의 성장으로 택배물량이 증가하고, 맞벌이 부부, 일인가구가 증가하면서 택배원과 면대면으로 물건을 수령하기 힘들어짐에 따라 자택이 아닌 다른 곳에서 택배를 수령하고자 하는 수요가 증가하면서 무인사물함이 하나의 물류 거점으로 대두되고 있다.

과거 현찰로만 이용할 수 있는 무인사물함을 전자결제를 통해 이용 가능해지면서 보관함 산업은 성장기를 넘어 호황기로 접어들었다. 무인사물함은 2가지 종류로 분류할 수 있는데 첫 번째는 일반적으로 유동인구가 많은 지하철역 등에 설치된 '무인보관함', 두 번째는 아파트, 주택에 설치된 '무인택배보관함'이다.

첫 번째, 무인보관함은 '보관'의 기능을 수행하는 '사물함'개념에서 발전했다. 흔히 대학교 도서관, 지하철역 등 사람이 많이 모이는 것에 설치된 것이 무인보관함이다. 대표적인 사례가 '코인보관함'인데, 무인보관함의 경우 자체로 판매하는 경우도 있지만 대부분 임대형식으로 거래되는 경우가 많다. 사물함 제작업체가 설치를 하고 임대료를 받는 형식으로 '자판기'같은 사업이라고 할 수 있다.

두 번째는 아파트 및 빌라 등 공동주택에 설치된 무인택배보관함(이하 아파트보관함)이다. 과거 아파트보관함 시장은 전통적인 무인보관함 시장에서 발전된 개념이 아니기 때문에 단순히 물건만 보관하는 개념에서 시작되었다. 이를 보완하고자 해외에서 수입된 전자식 무인보관함을 아파트에 설치하기 시작했다.

[그림 43] 빌라에 설치된 무인사물함

---

39) <일본을 넘어선 한국의 무인사물함, 기술이 중요한 이유>, CLO(2017.01.03)

무인사물함 기술은 크게 함체 제작기술(하드웨어), 락킹(Locking: 잠금 기술) 및 솔루션 등(소프트웨어)의 기술로 분류된다. 몇 년 전만 해도 일본 무인사물함 기술은 우리나라오 비교해 소프트웨어와 하드웨어를 포함한 모든 면에서 10년 이상 앞서고 있다는 평가를 받았다. 앞서 언급한 무인보관함과 아파트보관함 시장 역시 모두 일본 기술을 기반으로 성장했다.

그러나 최근 들어 국내 무인사물함 발전 정도는 기술적 수준에서 이미 일본을 넘어섰다는 평가를 받고 있다. 특히 기술발전 정체기인 일본과는 달리, 우리나라의 경우 응용기술 분야 발전 속도가 상당히 빠르기 때문이다. 물론 아직까지 무인사물함 함체 자체의 내구성 등 하드웨어 측면에서는 일본이 앞서고 있지만, 무인사물함에 설치되는 프로그램과 같은 소프트웨어 측면에서는 국내 제품이 일본제품보다 기술적으로 뛰어나다는 평가를 받고 있다.

향후 무인사물함 분야는 하드웨어보다 소프트웨어가 더욱 중요해질 전망이다. 특히 모바일 시대에 맞게 스마트폰과 무인보관함의 연동이 가능해질 것이라는 예측이다. 미래의 무인사물함은 365일 연중무휴로 24시간 언제든지 택배를 수령할 수 있으며, 주문은 물론 교환이나 반품 시에도 이용 가능한 시스템이 될 것이다. 해마다 늘어가는 온라인 쇼핑 이용률 증가로 택배 물량이 많아지고 있으며, 맞벌이부부, 일인가구 가 증가하고 있는 등 여러 가지 사회현상으로 무인사물함은 더욱더 증가할 전망이다.

나) **스마트무인도서관**

국내 청주시 흥덕구청과 청주 농협물류센터 2곳에서 스마트무인도서관이 개관했다. 청주시립도서관은 시민들이 도서관에 가지 않아도 365일 연중무휴로 자유롭게 책을 빌려 볼 수 있는 스마트 무인도서관시스템을 도입해 시범운영을 마치고 본격적으로 가동한다. 시립도서관 회원이면 도서대출증이나 모바일회원증으로 이용가능하며, 비회원이라도 현장에서 모바일 앱을 설치하고 본인인증을 거치면 바로 이용가능하다.

[그림 44] 스마트 무인도서관

다) **무인주차장**

무인사업의 일환으로 각광받고 있는 무인주차장 사업은 별도의 스마트파킹솔루션을 통해 사람이 관리하지 않고, 요금을 운전자 스스로 정산하는 방식으로 운영된다. 무인사업 특성상 24시간 365일 휴무없이 운영이 가능하다는 장점과 더불어 편리하고 쾌적한 시설을 통해 많은 이용자를 발생시켜 더 많은 수익을 만들 수 있는 고수익 모델이 되고 있다.

스마트폰의 보급에 따라 주차장 이용도 점차 스마트해지면서 주차장어플리케이션을 통한 주차장 검색과 주차요금정보를 확인하고 찾아가는 서비스가 성행하고 있다.

최근 주차장 설비기술의 발전과 최저임금 인상의 여파로 무인주차장을 도입하는 곳이 빠르게 늘고 있다. 주차장설비업체인 다래파크텍은 최근 통합관제센터를 통해 무인주차장을 실시간으로 관리하고 있다. 2016년 20여 곳에 무인주차장을 설치했으며 2017년에는 주차장 40여 곳을 무인화했다.

다래파크텍의 무인주차장 기술은 주차장에서 거주자 등록차량은 차량번호 자동인식을 통해 논스톱 출·입차할 수 있으며, 방문차량의 경우 입차 전 입주자 또는 방문매장의 입출입 직접 인증으로 멈춤 없이 바로 주차장에 진입할 수 있다.

이에 발맞춰 많은 지자체에서도 공영주차장을 중심으로 무인주차장으로 전환하는 작업을 진행 중이다. 기존에 공영주차장 수탁방식에서 탈피해 현금으로만 거래되던 주차장요금을 카드 정산으로 전환하면서 요금수납을 투명하게 하고 이용자에게도 정당한 세액을 환급받을 수 있다는 것이 장점이다. 또한 수탁업무에 따른 주차정산원의 징수 비리나 잦은 이직에 따른 문제를 해결하는 결정적 요인이 될 수 있다.

기업과 투자자들이 주차장 사업에 나서는 것은 도심을 중심으로 주차공간이 부족한 상황에서 무인주차기술의 발전으로 수익성은 크게 높아졌기 때문이다. 한국투자증권에 따르면 일본의 주차장 시장규모는 2014년 기준 3조 원에 이른다. 특히 도심의 빈공간을 무인주자창으로 만든 일본의 파크24는 연평균 12.6%씩 성장했다. 국내 투자자들은 현재 수천억 원 수준에서 최대 1조 원 안팎(주차장 관련 산업 포함)으로 추정되는 국내 주차장 산업도 비슷한 속도로 성장할 것으로 기대하고 있다.

기계식 주차장에서 잇따라 사고가 나면서 물류창고에서 사용되는 새로운 기술도 도입 중이다. 기존 기계식 주차는 사람이 직접 차를 타고 차량용 엘리베이터에 적재해야 했는데 SK(주)가 인수한 물류업체인 에스엠코어는 짐을 쌓을 때 쓰는 팰릿(화물 운반대)이 차량을 직접 갖고 이동하는 기술을 개발했다. 중국업체는 납작한 슬라이드 판에 카메라를 달아 차량을 인식하게 하고, 차량이 팰릿에 올라서면 들어올려 이동시키는 주차용 로봇을 선보였다. 프랑스 스타트업인 스탠리 로보틱스는 아예 대리주차 서비스를 제공하는 주차전용 로봇인 스탠을 개발해 공급하고 있다.

[그림 45] 프랑스 스타트업 스탠리 로보틱스 대리주차 전용 로봇

Ⅳ. 시장동향

Ⅳ. 시장동향

1. 무인이동체 시장 전망

가) 세계 시장 전망

1) 드론 시장

상업용 공중무인이동체 세계시장은 2013년 2억 달러에서 2026년 130억 달러(연평균 증가율 38.5%) 수준으로, 육상무인이동체 시장은 2013년 23억 달러에서 2026년 1,282억 달러(연평균 증가율 36.2%) 수준으로 급격한 성장이 예상된다.

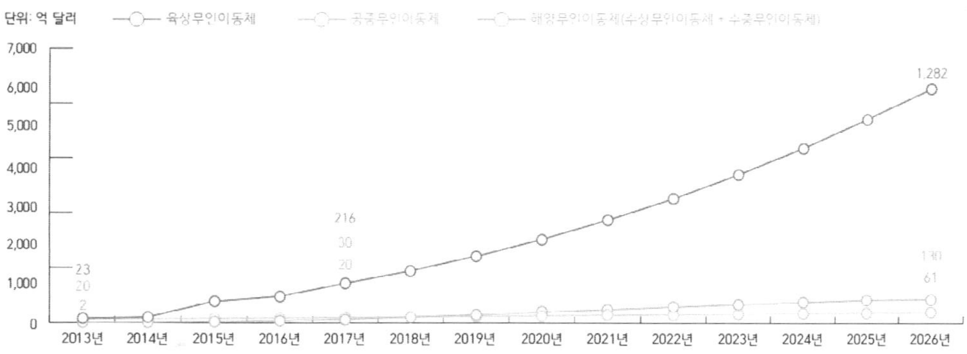

40)

[그림 46] 응용환경에 따른 상업용 무인이동체 세계시장 규모 전망

2019년 마켓앤마켓스의 보고서에 따르면 전 세계 드론 서비스 시장은 2019년 44억 3,000만 달러에서 연평균 성장률 55.9%를 보이며 2025년 636억 4,000만 달러에 이를것으로 전망된다.[41]

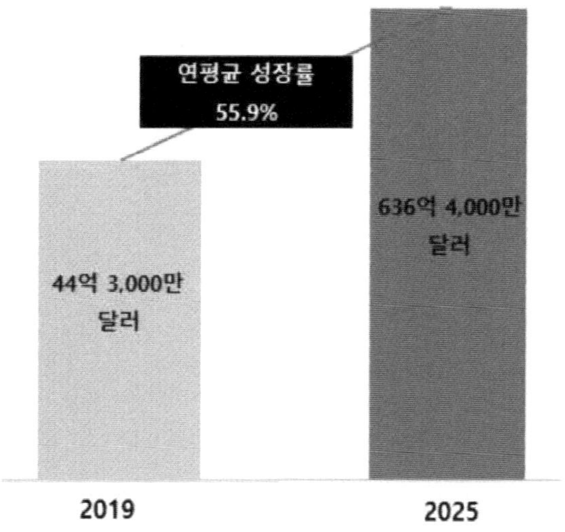

[그림 47] 글로벌 드론 서비스 시장 규모 및 전망

40) 자료 : 과학기술정보통신부(2018. 1), "무인이동체 기술혁신과 성장 10개년 로드맵".
41) 드론 서비스 시장, 연구개발특구진흥재단, 2019.12

전 세계 드론 서비스 시장을 지역별로 살펴보면, 2019년을 기준으로 북미 지역이 55.3%로 가장 높은 점유율을 차지하였고, 유럽 지역이 29.0%, 아시아-태평양 지역이 9.6%, 중동 지역이 3.6%. 기타 지역이 2.5%로 나타났다.

(단위: 백만 달러)

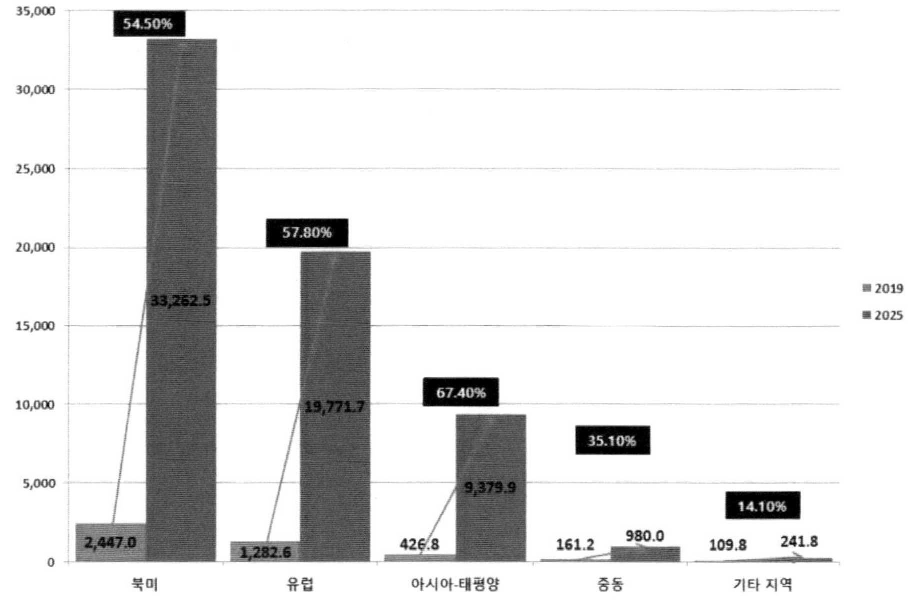

[그림 48] 글로벌 드론 서비스 시장의 지역별 시장 규모 및 전망

전 세계 드론 서비스 시장은 산업에 따라 사회기반시설, 농업, 미디어 및 엔터테인먼트, 석유 및 가스, 유틸리티 및 전력, 광업, 보안, 수색 및 구조, 과학연구, 보험, 물류, 기타로 분류할 수 있다. 사회기반시설은 2019년 16억 8,940만 달러에서 연평균 성장률 59.3%로 증가하여, 2025년에는 276억 2,900만 달러에 이를 것으로 전망되며, 농업은 2019년 6억 5,480만 달러에서 연평균 성장률 53.2%로 증가하여, 2025년에는 84억 7,580만 달러에 이를 것으로 전망된다. 미디어 및 엔터테인먼트는 2019년 5억 4,240만 달러에서 연평균 성장률 62.9%로 증가하여, 2025년에는 101억 2,050만 달러에 이를 것으로 전망되고, 석유 및 가스는 2019년 4억 3,210만 달러에서 연평균 성장률 50.7%로 증가하여, 2025년에는 50억 6,900만 달러에 이를 것으로 전망된다. 다음으로 유틸리티 및 전력은 2019년 3억 8,010만 달러에서 연평균 성장률 51.9%로 증가하여, 2025년에는 46억 6,790만 달러에 이를 것으로 전망되고, 광업은 2019년 2억 5,410만 달러에서 연평균 성장률 50.1%로 증가하여, 2025년에는 29억 130만 달러에 이를 것으로 전망된다. 보안, 수색 및 구조는 2019년 1억 9,160만 달러에서 연평균 성장률 50.3%로 증가하여, 2025년에는 22억 930만 달러에 이를 것으로 전망된다. 과학연구는 2019년 9,760만 달러에서 연평균 성장률 52.3%로 증가하여, 2025년에는 12억 1,610만 달러에 이를 것으로 전망되고, 보험은 2019년 8,730만 달러에서 연평균 성장률 47.8%로 증가하여, 2025 년에는 9억 1,040만 달러에 이를 것으로 전망된다. 물류는 2019년 3,420만 달러에서 연평균 성장률 28.5%로 증가하여, 2025년에는 1억 5,380만 달러에 이를 것으로 전망되고, 마지막으로 기타는 2019년 6,380만 달러에서 연평균 성장률 28.2%로 증가하여, 2025년에는 2억 8,290만 달러에 이를 것으로 전망된다.

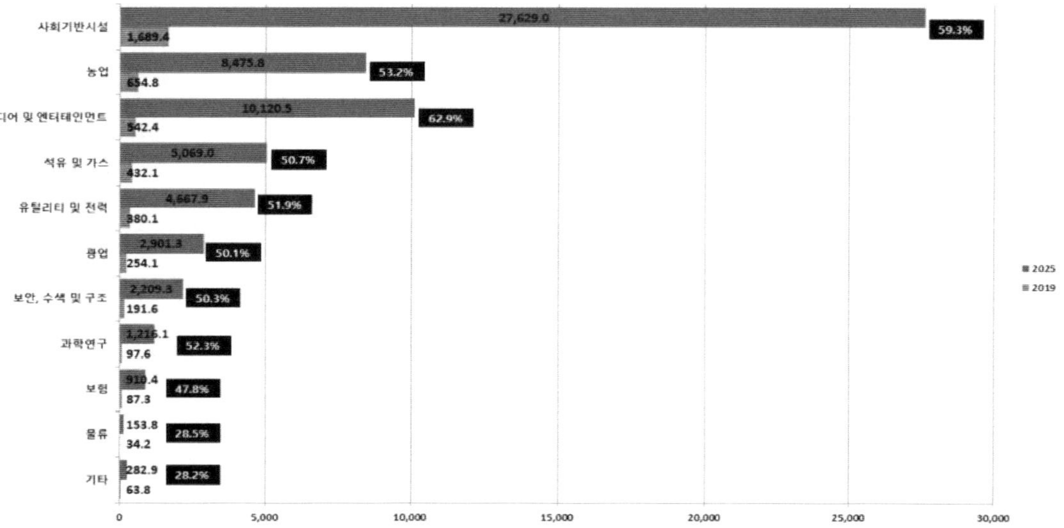

[그림 49] 글로벌 드론 서비스 시장의 산업별 시장 규모 및 전망 (단위: 백만 달러)

전 세계 상용 드론 활용 서비스 시장은 용도에 따라 사진 촬영 및 엔터테인먼트용, 재해 대책용, 감시용, 일기예보용, 배송 서비스용, 기타 용도용으로 분류할 수 있다. 사진 촬영 및 엔터테인먼트용은 2015년 6억 2,000만 달러에서 연평균 성장률 34.31%로 증가하여, 2020년에는 27억 1,000만 달러에 이를 것으로 전망되고, 재해 대책용은 2015년 9,500만 달러에서 연평균 성장률 29.43%로 증가하여, 2020년에는 3억 4,500만 달러에 이를 것으로 전망된다. 감시용은 2015년 8,200만 달러에서 연평균 성장률 31.14%로 증가하여, 2020년에는 3억 1,800만 달러에 이를 것으로 전망되며, 일기예보용은 2015년 7,500만 달러에서 연평균 성장률 37.6%로 증가하여, 2020년에는 3억 7,000만 달러에 이를 것으로 전망된다. 배송 서비스용은 2015년 2,000만 달러에서 연평균 성장률 100.62%로 증가하여, 2020년에는 6억 5,000만 달러에 이를 것으로 전망되고, 마지막으로 기타 용도용은 2015년 1억 3,000만 달러에서 연평균 성장률 15.7%로 증가하여, 2020년에는 2억 7,000만 달러에 이를 것으로 전망된다.

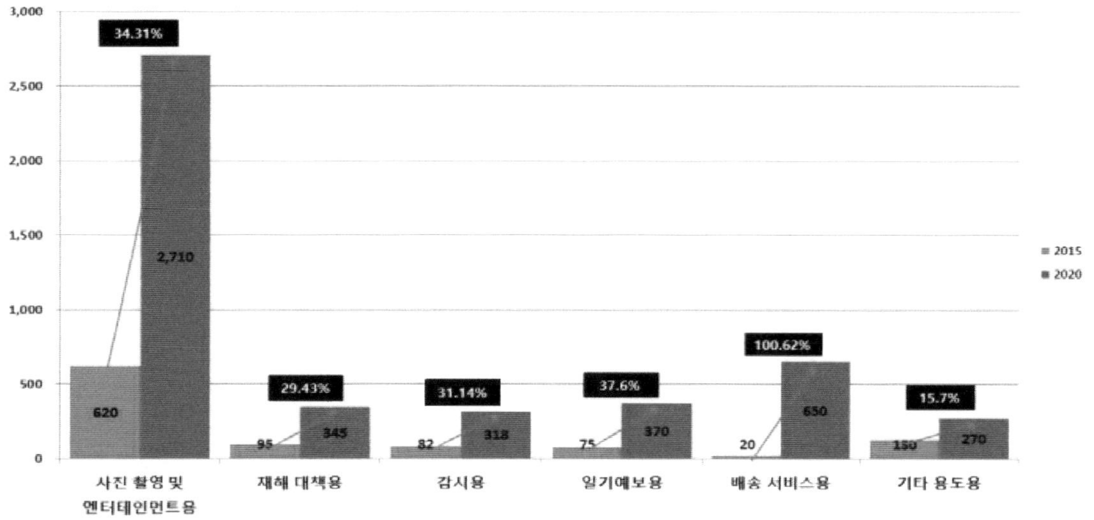

[그림 50] 글로벌 상용 드론 활용 서비스 시장의 용도별 시장 규모 및 전망 (단위: 백만 달러)

전 세계 드론 서비스 시장은 서비스 시간에 따라 단기간 서비스, 장기간 서비스로 분류할 수 있다. 단기간 서비스는 2019년 37억 7,980만 달러에서 연평균 성장률 55.68%로 증가하여, 2025년에는 538억 1,750만 달러에 이를 것으로 전망되고, 장기간 서비스는 2019년 6억 4,760만 달러에서 연평균 성장률 57.32%로 증가하여, 2025년에는 98억 1,840만 달러에 이를 것으로 전망된다.

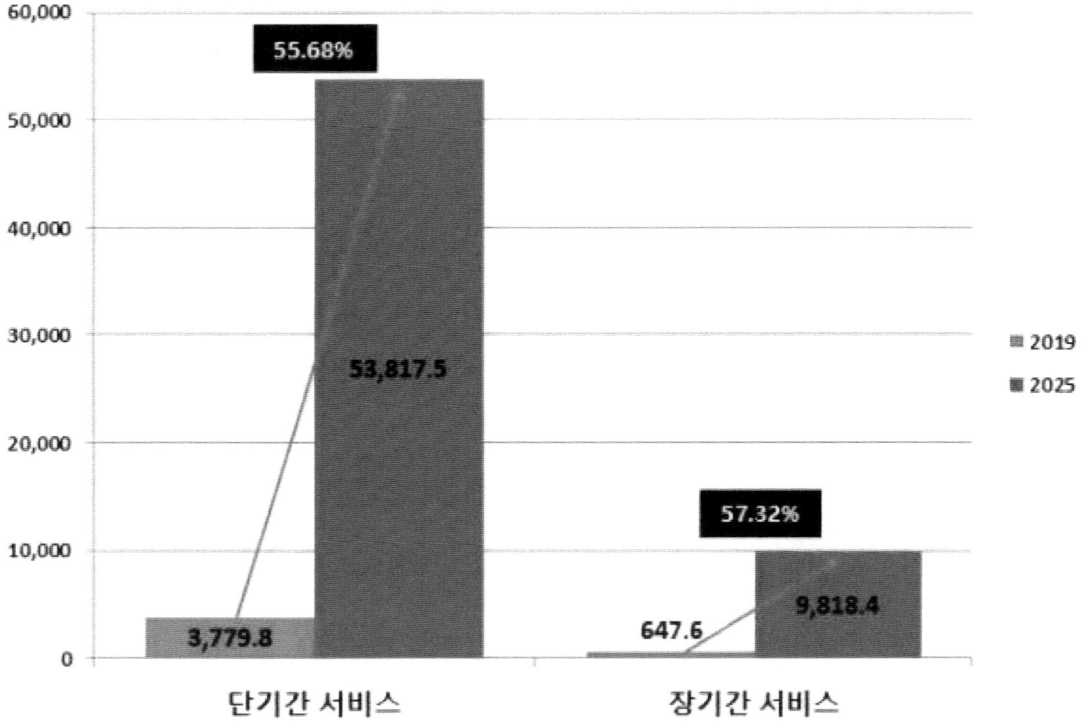

[그림 51] 글로벌 드론 서비스 시장의 서비스 시간별 시장 규모 및 전망 (단위: 백만 달러)

2) 자율주행자동차 시장

자율주행자동차는 교통사고로 인한 사회적 비용과 사망자 수를 감소시킬 것으로 예상된다. Eno Center for Transportation은 교통사고의 90%가 음주, 마약, 운전미숙, 과속 등 운전자 과실에 의해 발생되며, 전체 자동차의 10%가 자율주행차로 전환 시, 매년 약 21만 건의 사고, 1,100명의 사망자 수, 227억 달러의 피해액을 줄일 수 있을 것이라고 예측하였다. 자율주행자동차는 운전에 어려움이 있는 고령자의 이동에 도움이 되는 등 운전 스트레스에서 벗어나 이동자체를 즐기고, 소모시간이던 이동시간도 생산시간, 노동시간으로 흡수하는 등의 긍정적인 효과가 발생될 것으로 예상된다.

맥킨지는 2050년경이 되면 운전에 소요되는 평균 시간인 50분 정도를 절약하고 교통사고 건수가 줄어듦에 따라 피해액을 1,800억~1,900억 달러가량 줄일 수 있을 것으로 예상했다.

자율주행자동차 세계 시장은 아직 형성되지 않았으나 현재 시험 운행을 거쳐 2020년부터 상용화되기 시작하여 현재의 자동차 시장을 대체할 것으로 예상된다. 자율주행자동차 시장은 교통인프라 구축이 잘 되어 있는 북미와 아시아가 시장을 주도할 것으로 예상되며 2030년대부터 전체 자동차 시장의 절반 이상을 점유할 것으로 예상된다.

내비건트 리서치(Navigant Reserch)는 2035년에 9,500만여 대의 자동차에 자율주행 기능이 적용되어 전체 승용차 매출액의 75%를 차지할 것이라는 전망을 내놓았으며, 모건스탠리는 2026년 경에 모든 운전자가 자율주행자동차를 소유하게 될 것으로 예상했다.

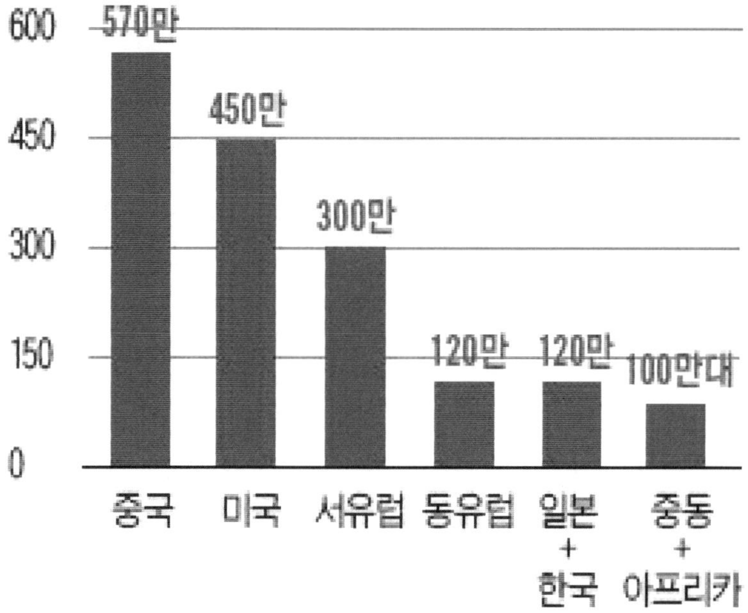

[그림 52] 2035년 무인 자율주행차 판매 전망

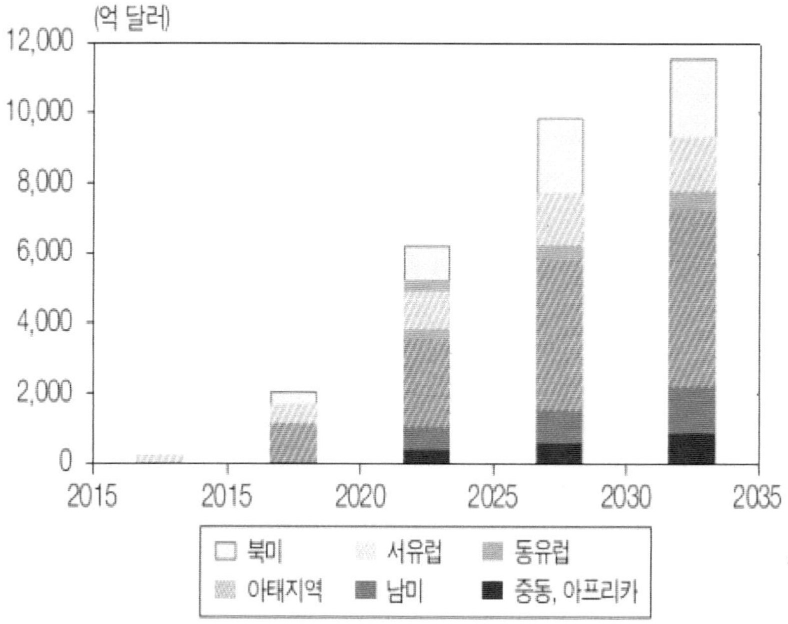

42)

[그림 53] 자율주행자동차 세계시장점유율 전망

글로벌 시장조사업체 AMR(Allied Market Research)에 의하면 자율주행자동차 시장규모는 2019년 542억 달러에서 2026년에는 5560억달러규모로, 연평균 39.47%의 성장율을 보이며 성장할 것으로 예상된다.43)

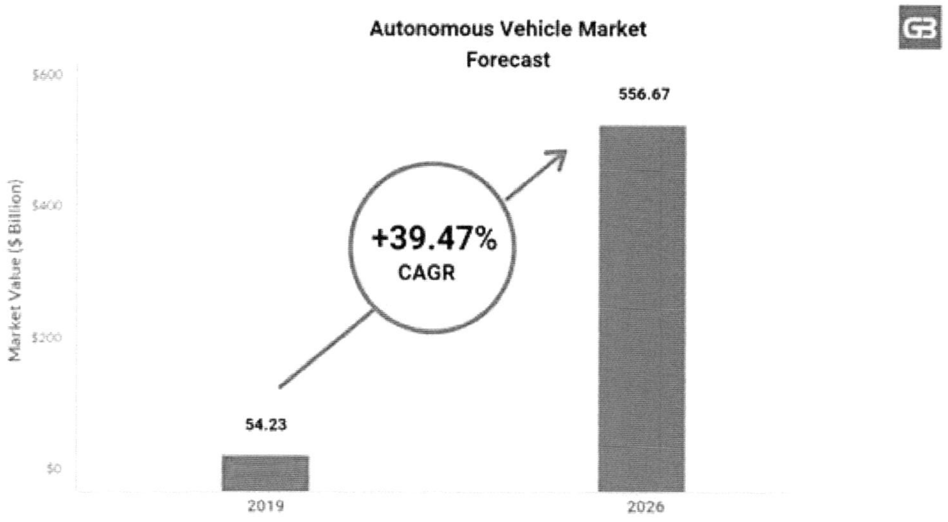

[그림 54] 자율주행자동차 전체 시장규모

42) 자료: IHS
43) 실리콘밸리에서 미래자동차의 모습을 보다 - ③ 4차 산업혁명시대 융복합 기술의 결정체: 자율주행 자동차, 이지현, KOTRA, 2020.04.28

IHS 등 시장조사기관의 예측에 따르면, 자율주행자동차는 자율주행과 관련한 규제가 상대적으로 적은 북미와 유럽지역이 중심이 되어 초기 시장이 형성된 후 2025~2035년에 시장이 급성장할 것으로 전망했다.

예측기관(연도)	개요
Mckinsey(2015)	자율주행차가 2025년 자동차 시장의 대세로 자리 잡기 시작해 2030년 보편화되고, 교통사고 90%감소, 연 1,900억 달러 비용 절감 예상
IHS(2015)	자율주행차는 2025년 23만대에서 연 48.3% 증가해 2035년 1,180만대에 달하고, 2050년 대다수 자동차가 자율주행차로 대체되어 8,000만대 이상으로 늘어날 전망
ABI Research (2014)	세계자율주행차 시장규모는 2024년 110만대에 달하고, 2035년 4,200만대로 증가할 것으로 전망
Damler(2014)	핸들조차도 없이 사람의 개입없이 운행하는 완전자율주행차가 2025년 시장에 등장
Navigant(2013)	2035년에 자율주행차가 전체 자동차 판매량의 75%를 차지할 전망
InsuranceInformation(2013)	완전자율주행차가 미국 도로에 출현하기까지는 15~20년이 걸릴 것으로 예측

[표 17] 자율주행자동차 시장 예측

포브스가 2018년에 발표한 자율주행자동차 시대에 대비가 가장 잘된 국가 지수에 따르면, 미국은 네덜란드, 싱가포르에 이어 3위를 차지했다.

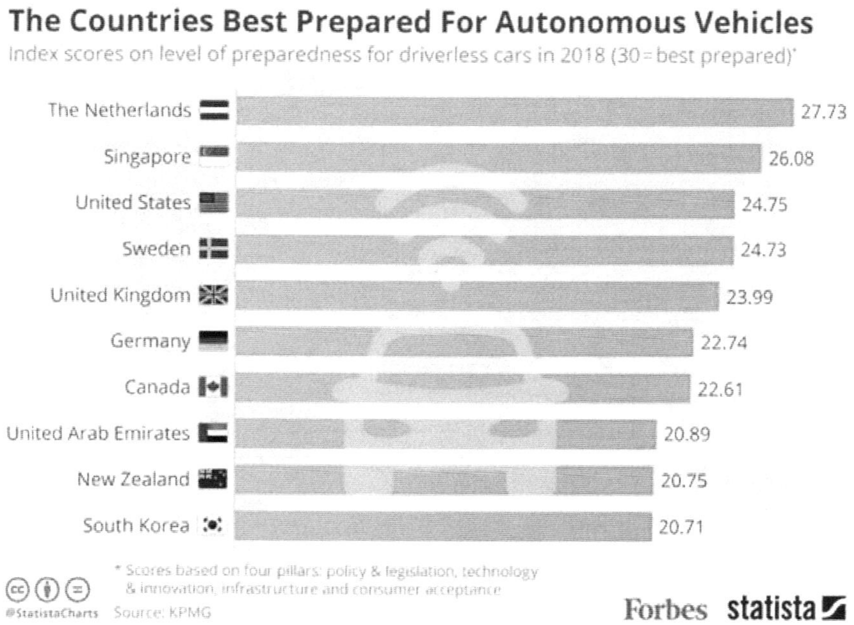

[그림 55] 국가별 자율주행자동차시대 대비 지수

Frost&Sullivan에 따르면, 2023년까지 L3 및 L4 등급의 자율주행 기능은 각각 전 세계적으로 판매되는차량의 약 0.8% 및 2.3%를 차지할 것으로 예상된다.44)

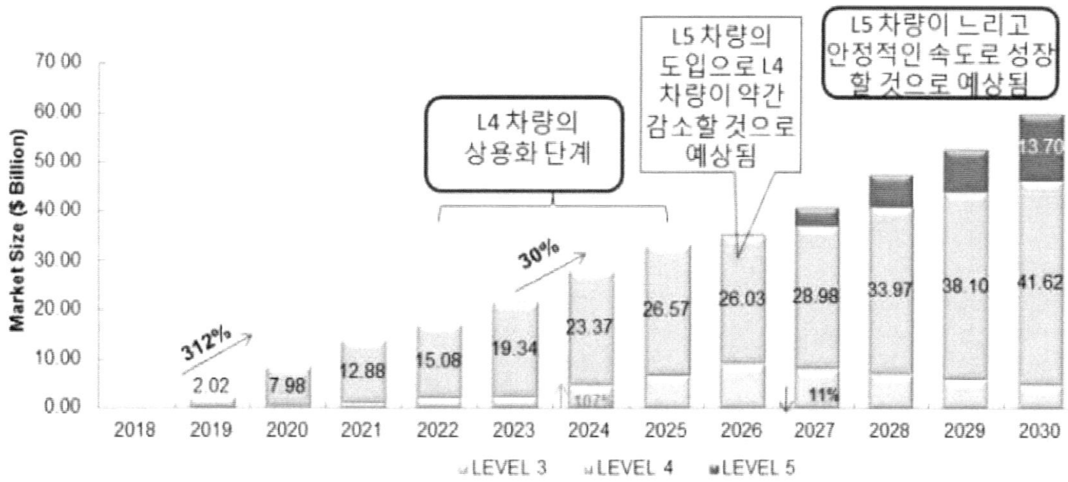

[그림 56] 글로벌 자율주행차량 시장 규모(소유권)-2017~2023년

자율주행 공유 택시의 세계 시장 규모는 2030년까지 38억 6,100만 달러에 이를 것으로 예상되며, 중국과 북미 지역이 주요 시장이 될 것으로 전망된다.

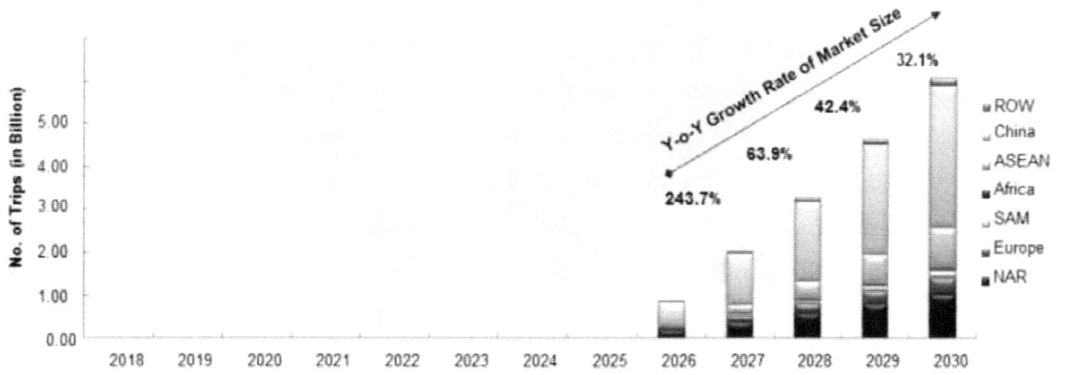

시장에는 호주, 일본, 싱가포르와 같이 자율택시가 더 빨리 성장할 가능성이 높은 선진국들이 포함됨

2030년까지 여행당 평균 비용은 약 3.64달러dp 이를 것이고, 이 중 30-40%는 운전자 비용으로 추정됨

	2018						
예상 총 여행 수 (단위 : 억)	0	0	0.85	2.02	3.28	4.64	6.08
세계 평균 운임 (US 달러)	NA	0	4.3	6.2	6.3	6.3	6.4
자율주행 여행의 도입	0	0	0.6%	1.4%	2.1%	2.9%	3.7%
시장 규모(백만달러)	0	0	3.64	12.52	20.53	29.24	38.61

[그림 57] 승차 회수에 의한 자율주행 택시의 도입 예상 비율-2017~2023년

자율주행 셔틀의 전체 시장 규모는 전 세계적인 요금의 가중 평균 3.6 달러를 기준으로 2030년까지 744억 2,000만 달러에 이를 것으로 전망된다.

44) 세계의 자율주행차 시장 전망, 연구개발특구진흥재단, 2018.11

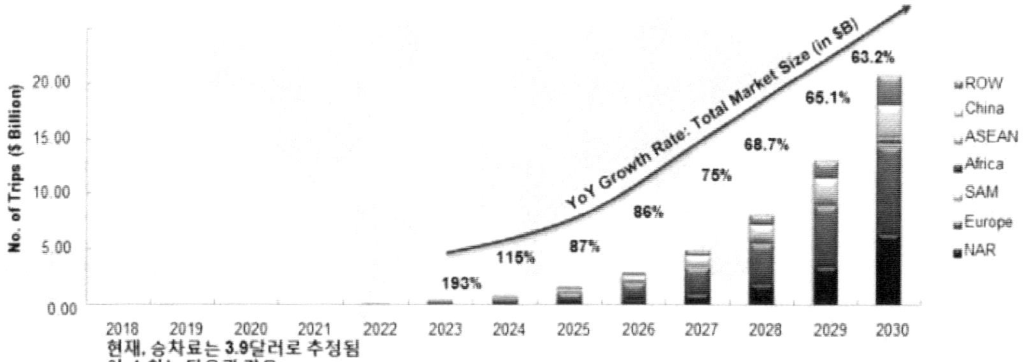

현재, 승차료는 3.9달러로 추정됨
이 수치는 다음과 같음:
운영자 이익(@15%) = 0.6%, 인건비 $1.2 35%, 운영 비용(보험, 주차) = $1.4-20, 유지비(서비스 연료)= $0.8

	2018						
예상 총 여행 수(단위 : 억)	0	0.41	1.59	4.92	8.09	13.02	20.7
세계 평균 운임 (US 달러)	NA	3.13	3.16	3.32	3.41	3.5	3.9
자율주행 여행의 도입	0	5.7%	11.4%	19%	22.9%	26.8%	30.7%
시장 규모(백만달러)	0	1.25	5.04	16.38	27.63	45.61	74.5

[그림 58] 탑승 회수에 의한 자율주행 셔틀의 도입 예상 비율-2017~2023년

나) 국내 시장 전망

1) 드론 시장

2016년 틸그룹(Teal Group) 자료에 의하면, 현재 드론 시장은 군사용 목적의 군수용 드론 시장 중심이었지만, 미래에는 취미, 촬영 등 민수용 드론 활용 증가로 민수 드론 시장이 급속하게 성장하여 드론시장이 크게 성장할 것으로 예상된다. 특히 드론산업은 2026년까지 연평균 29%의 급성장이 예상되며, 글로벌 항공산업 전체(연평균 4~5%)에서도 가장 빠른 성장이 전망된다.

구분	2016	2019	2022	2026	성장률(%)
제작시장 (군수·취미용·사업용)	55.7	122.4	174.6	221.2	14.8
운영시장 (사업 서비스)	9.3	52.2	217.8	599.4	51.7
합계	65	174.6	392.4	820.6	28.9

[표 18] 세계 드론 시장 전망 (단위: 억불)

현재 국내 시장 내 공중무인이동체 숫자는 크게 증가하는 추세로, 2015년 말 국내 공중무인이동체 시장은 약 1억 5,000만 달러 규모로 작은 편이나 향후 상업용 공중무인이동체 시장 활성화 등을 통해 2025년 30억 달러 규모까지 확대될 것으로 전망된다. 국내 시장 내 공중무인이동체는 대부분 레저용이나 향후 해안, 산불, 환경 감시, 재해, 재난 모니터링, 교통통제, 사고 수습, 공중 촬영, 농약 살포 및 방제 등 공공 분야를 중심으로 상업용 무인기의 활용이 증가할 것으로 예상된다. 국내에서는 상업용 공중무인이동체가 비료, 농약살포, 산림 및 해상 측량, 사진 촬영 등과 일부 대여업에만 허용되고 있어 시장 성장에 제약요인으로 작용하고 있다. 국토부에 따르면, 2013년 193대에 불과했던 정부에 신고된 드론 기체 수는 2019년 9342대로 40배 이상 증가했다. 드론 업체는 2013년에 131곳에 불과했으나 2019년 2500곳을 넘겼으며, 같은 기간에 50명대였던 드론 조종 자격 취득자 수는 2019년 2만 명을 넘겼다.[45]

[그림 59] 국내 드론 시장 주요지표 추이

45) 2026년 90조원 드론 시장…'후발 주자' 한국, 상업용 드론 정조준, 조선비즈, 2020.06.29

국내 무인기 시장은 태동기로서 군수용 중심으로 구성되어 있으나 최근 민수용을 중심으로 민간분야 수요도 증가하는 추세다. 국내 항공업체의 무인기 관련 매출은 2016년 기준 1,733 억원에서 2025년 2.2조원으로 성장할 전망이다.[46]

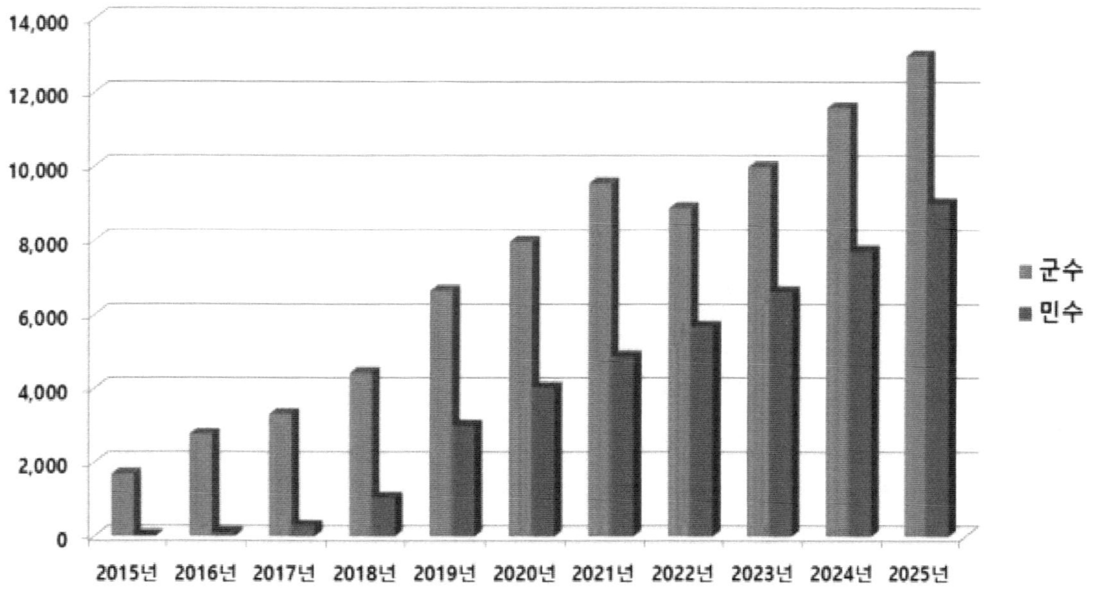

[그림 60] 국내 무인기 시장 전망

구분	2018년	2019년	2020년	2021년	2022년	2023년	2024년	2025년
군수	4,423	6,645	7,971	9,552	8,883	9,986	11,589	12,995
민수	1,050	3,000	4,025	4,870	5,673	6,612	7,710	8,996

[표 19] 국내 무인기 시장 전망

46) 『4차 산업혁명 기반 드론 산업』 국내외 동향연구 보고서, 경상북도, 2019.11

2) 자율주행자동차 시장

한국과학기술기획평가원은 제한 및 완전 자율주행 시스템의 국내 시장규모를 KISTI의 보고서를 참고하여 전망했다. 한국과학기술기획평가원이 전망한 국내시장에서 제한자율주행과 완전자율주행 시장규모는 각각 4,500달러, 6,600달러의 예상판매단가를 적용하여 산출되었는데 2020년 1500억 원 이었던 시장규모가 2035년 26조 1700억 원까지 성장하는 것으로 전망되었다.47)

구분		2020	2025	2030	2035	CAGR(%)
국내시장	제한자율주행	1,493	28,852	80,753	114,610	33.6
	완전자율주행	15	7,341	72,651	147,183	84.2
	합계	1,509	36,193	153,404	261,794	41

[표 20] 제한 및 완전 자율주행 시스템의 시장규모 전망(단위: 억 원)

국내 자율주행차 시장 규모는 2020년에 레벨 3 수준은 약 1,493억 원, 레벨 4 수준은 약 15억 원으로 전망되며, 2035년 레벨 3 수준은 11조 4,610억 원, 레벨 4 수준은 14조 7,183억 원으로 전망된다. 이와 관련된 자율주행 센서모듈의 세계시장은 2019년 중소기업 전략기술로드맵에 언급된 Markets and Markets 자료(2019년)에 따르면, 2017년 약 30억 달러 규모에서 연평균 성장률(CAGR) 10.5% 규모로 성장하여 2023년 54.67억 달러 규모의 시장을 형성할 것으로 예측되었다. 또한, 국내 자율주행 센서모듈 시장 규모는 2017년 720억 원 규모를 형성하였고, 세계시장과 같은 CAGR 10.5%를 적용하면, 2023년 1,312억 원 규모가 될 것으로 전망된다.

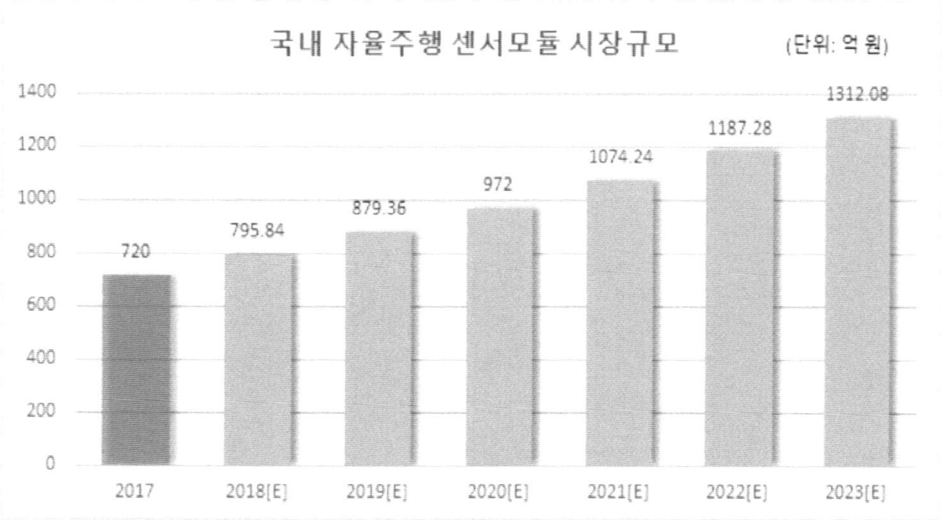

[그림 61] 국내 자율주행 센서모듈 시장규모 (단위: 억 원)

47) 출처: 자동차전용도로 자율주행 핵심기술 개발사업, 한국과학기술기획평가원

2019년 중소기업 전략기술로드맵에 따르면, Markets and Markets의 2019년 자료에서 발췌한 커넥티드카 서비스 세계시장 규모는 2017년 284억 달러를, 2018년 348억 달러를 형성하였으며, 이후 연평균 성장률(CAGR) 22.3%로 성장하여 2023년 953억 달러 규모가 될 것으로 예측되었다. 한편, 국내 커넥티드카 서비스 시장 규모는 2018년 3.1조 원 규모로 확인되었으며, 연평균 성장률(CAGR) 24.5% 적용 시 2023년 9.13조 원 규모로 예측되었다.48)

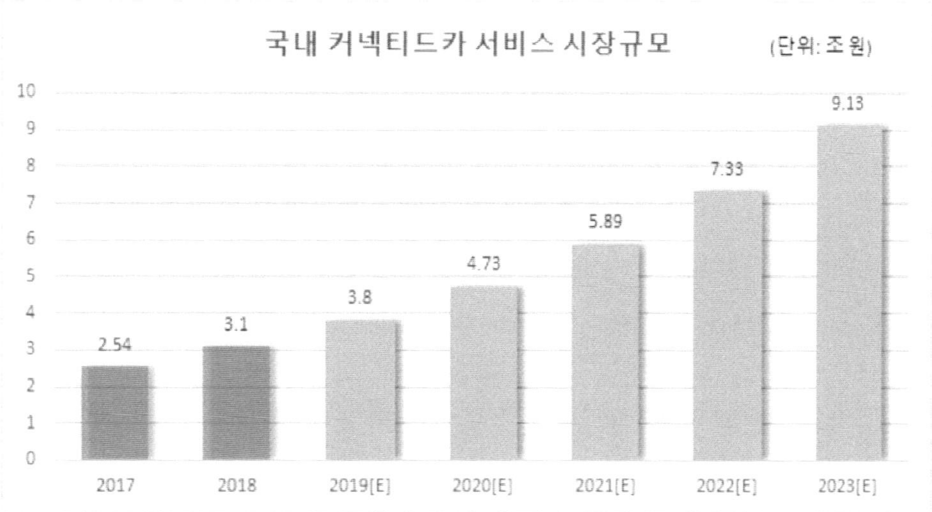

[그림 62] 국내 커넥티드카 서비스 시장규모 (단위: 조 원)

스마트 모빌리티 국내 시장은 2018년 6,226억 원에서 연평균 20.2% 성장하여 2023년 1조 8,788억 원 규모로 성장할 것으로 전망된다.49)

구분	2018	2019	2020	2021	2022	2023	2024	CAGR
국내 시장	6,226	7,480	8,998	10,318	13,002	15,631	18,788	20.2

[표 21] 스마트 모빌리티 교통정보 시스템 국내 시장규모 및 전망 (단위 : 억 원, %)

스마트 주차 시스템 국내 시장은 2018년 3,655억 원에서 연평균 17.4% 성장하여 2024년에는 8,697억 원의 시장규모를 형성할 것으로 전망된다.

구분	2018	2019	2020	2021	2022	2023	2024	CAGR
국내 시장	3,665	4,290	5,035	5,912	6,941	8,148	8,697	17.4

[표 22] 스마트 주차 시스템 국내 시장규모 및 전망 (단위 : 억 원, %)

48) 스마트카, 한국 IR협의회, 2020.07.02
49) 중소기업 전략기술로드맵 2021-2023 스마트시티, 중소벤처기업부

2. 무인 보안서비스

가) 세계 시장 전망[50)]

전 세계 사이버 보안 시장은 2018년 1,527억 1,000만 달러에서 연평균 성장률 10.2%로 증가하여, 2023년에는 2,482억 6,000만 달러에 이를 것으로 전망된다.

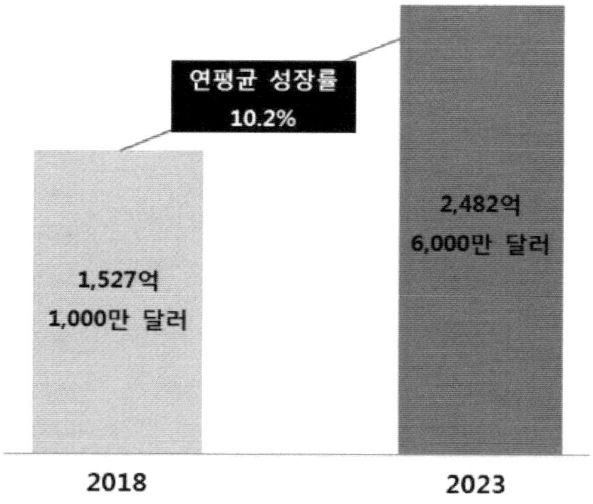

[그림 63] 글로벌 사이버 보안 시장 규모 및 전망

전 세계 사이버 보안 시장은 구성요소에 따라 솔루션과 서비스로 분류할 수 있다. 솔루션은 2018년 866억 5,000만 달러에서 연평균 성장률 9.4%로 증가하여, 2023년에는 1,357억 6,000만 달러에 이를 것으로 전망되며, 서비스는 2018년 660억 6,000만 달러에서 연평균 성장률 11.2%로 증가하여, 2023년에는 1,125억 달러에 이를 것으로 전망된다.

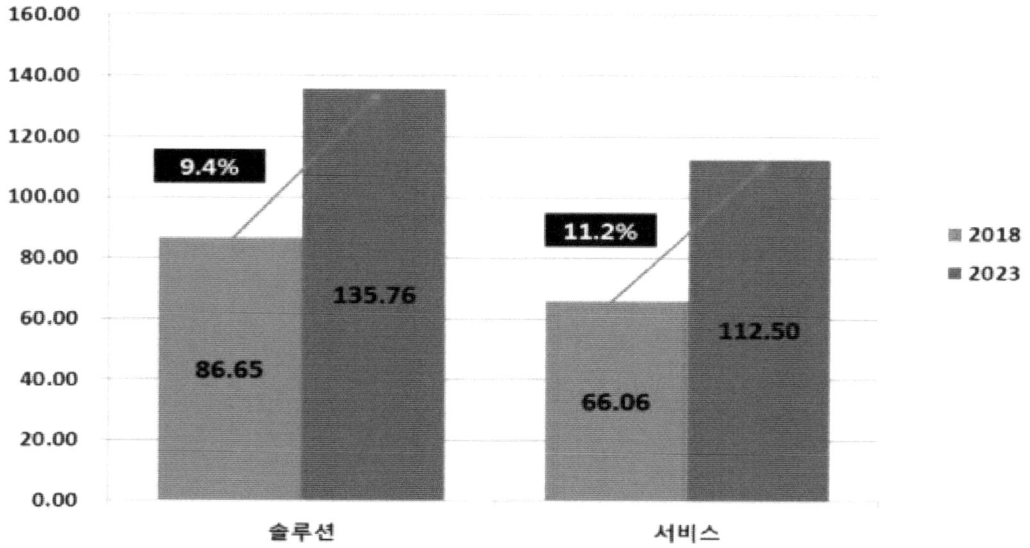

[그림 64] 글로벌 사이버 보안 시장의 구성요소별 시장 규모 및 전망 (단위: 십억 달러)

50) 사이버 보안 시장, 연구개발특구진흥재단, 2018.12

전 세계 사이버 보안 시장은 솔루션에 따라 ID 및 접근 관리(IAM), 리스크및 컴플라이언스 관리, 암호화, 데이터 유출 방지(DLP), 통합 위협 관리(UTM), 방화벽, 안티바이러스/멀웨어 대책, 침입 탐지 시스템/침입 방지 시스템(IDS/IPS), 보안 및 취약성 관리, 재해 복구, DDoS 공격 완화, 웹 필터링, 기타로 분류할 수 있다. ID 및 접근 관리(IAM)는 2018년 137억 7,000만 달러에서 연평균 성장률12.3%로 증가하여, 2023년에는 245억 8,000만 달러에 이를 것으로 전망되며, 리스크 및 컴플라이언스 관리는 2018년 86억 6,000만 달러에서 연평균 성장률 10.9%로 증가하여, 2023년에는 145억 1,000만 달러에 이를 것으로 전망된다. 암호화는 2018년 47억 6,000만 달러에서 연평균 성장률 15.5%로 증가하여, 2023년에는 97억 9,000만 달러에 이를 것으로 전망되고, 데이터 유출 방지(DLP)는 2018년 22억 5,000만 달러에서 연평균 성장률10.5%로 증가하여, 2023년에는 36억 9,000만 달러에 이를 것으로 전망된다. 다음으로, 통합 위협 관리(UTM)는 2018년 30억 2,000만 달러에서 연평균 성장률 9.6%로 증가하여, 2023년에는 47억 8,000만 달러에 이를 것으로 전망되고, 방화벽은 2018년 97억 2,000만 달러에서 연평균 성장률 5.6%로 증가하여, 2023년에는 127억 8,000만 달러에 이를 것으로 전망된다. 안티바이러스/멀웨어 대책은 2018년 121억 2,000만 달러에서 연평균 성장률6.4%로 증가하여, 2023년에는 165억 7,000만 달러에 이를 것으로 전망되며, 침입 탐지 시스템/침입 방지 시스템(IDS/IPS)은 2018년 56억 9,000만 달러에서연평균 성장률 9.5%로 증가하여, 2023년에는 89억 6,000만 달러에 이를 것으로 전망된다. 보안 및 취약성 관리는 2018년 81억 달러에서 연평균 성장률 8.6%로 증가하여, 2023년에는 122억 6,000만 달러에 이를 것으로 전망되고, 재해 복구는 2018년 51억 7,000만 달러에서 연평균 성장률 5.9%로 증가하여, 2023년에는 68억 8,000만 달러에 이를 것으로 전망된다. DDoS 공격 완화는 2018년 19억 9,000만 달러에서 연평균 성장률 13.9%로증가하여, 2023년에는 38억 2,000만 달러에 이를 것으로 전망되고, 웹 필터링은 2018년 71억 1,000만 달러에서 연평균 성장률 7.9%로 증가하여, 2023년에는 103억 9,000만 달러에 이를 것으로 전망되며, 마지막으로 기타는 2018년 42억 8,000만 달러에서 연평균 성장률 9.5%로 증가하여, 2023년에는 67억 6,000만 달러에 이를 것으로 전망된다.

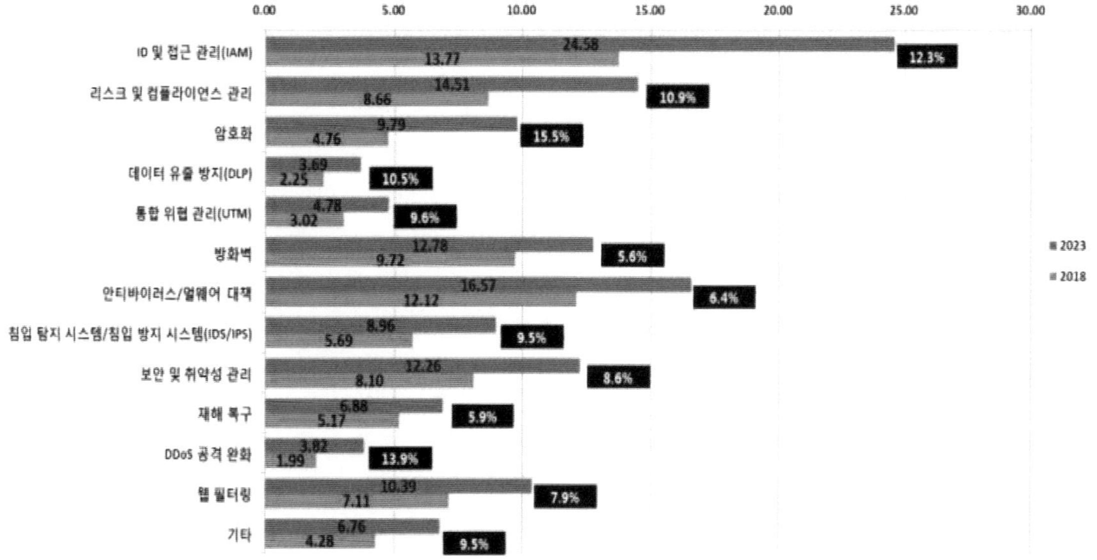

[그림 65] 글로벌 사이버 보안 시장의 솔루션별 시장 규모 및 전망 (단위: 십억 달러)

전 세계 사이버 보안 시장은 서비스에 따라 전문 서비스와 매니지드 서비스로 분류할 수 있다. 전문 서비스는 2018년 442억 6,000만 달러에서 연평균 성장률 9.5%로 증가하여, 2023년에는 696억 8,000만 달러에 이를 것으로 전망되며, 매니지드 서비스는 2018년 218억 달러에서 연평균 성장률 14.5%로 증가하여, 2023년에는 428억 2,000만 달러에 이를 것으로 전망된다.

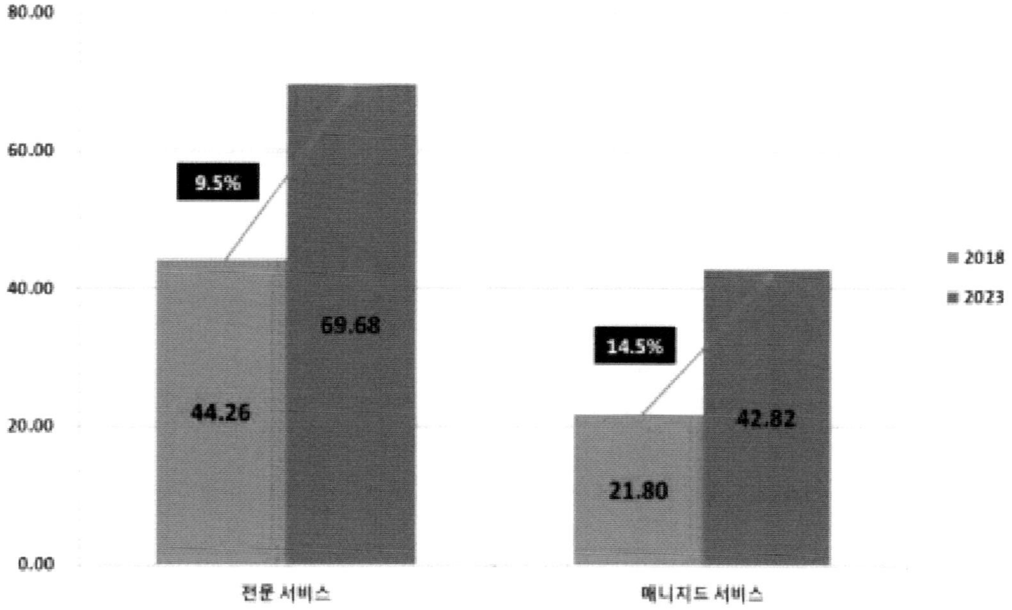

[그림 66] 글로벌 사이버 보안 시장의 서비스별 시장 규모 및 전망 (단위: 십억 달러)

전 세계 사이버 보안 시장은 보안유형에 따라 네트워크 보안, 엔드포인트 보안, 애플리케이션 보안, 클라우드 보안, 기타 보안으로 분류할 수 있다. 네트워크 보안은 2018년 298억 4,000만 달러에서 연평균 성장률 9.8%로 증가하여, 2023년에는 476억 1,000만 달러에 이를 것으로 전망되며, 엔드포인트 보안은 2018년 165억 달러에서 연평균 성장률 8.1%로 증가하여, 2023년에는 243억 4,000만 달러에 이를 것으로 전망된다. 애플리케이션 보안은 2018년 149억 8,000만 달러에서 연평균 성장률 12.4%로증가하여, 2023년에는 268억 4,000만 달러에 이를 것으로 전망되고, 클라우드 보안은 2018년 96억 5,000만 달러에서 연평균 성장률 11.2%로 증가하여, 2023년에는 164억 3,000만 달러에 이를 것으로 전망된다. 마지막으로 기타 보안은 2018년 156억 7,000만 달러에서 연평균 성장률 5.6%로 증가하여, 2023년에는 205억 5,000만 달러에 이를 것으로 전망된다.

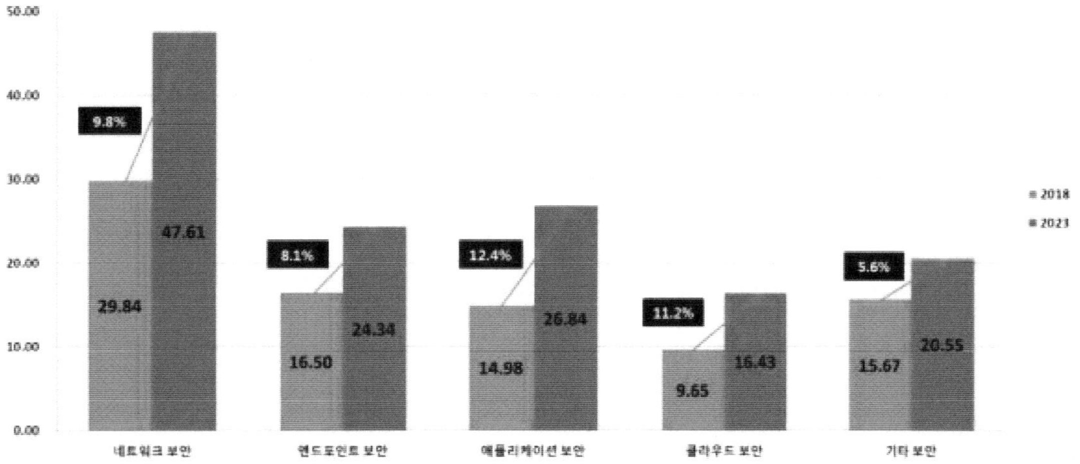

[그림 67] 글로벌 사이버 보안 시장의 보안유형별 시장 규모 및 전망 (단위: 십억 달러)

전 세계 사이버 보안 시장은 도입 방식에 따라 온-프레미스(On-premise)와클라우드로 분류할 수 있다. 온-프레미스(On-premise)는 2018년 1,260억 6,000만 달러에서 연평균 성장률 8.1%로 증가하여, 2023년에는 1,857억 6,000만 달러에 이를 것으로 전망되고, 클라우드는 2018년 266억 6,000만 달러에서 연평균 성장률 18.6%로 증가하여, 2023년에는 624억 9,000만 달러에 이를 것으로 전망된다.

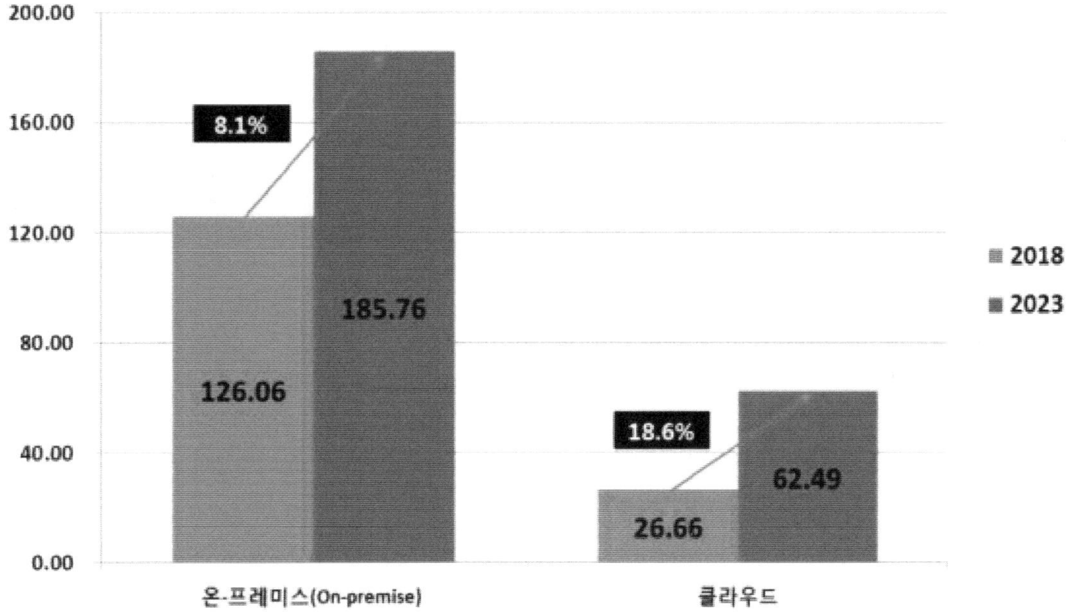

[그림 68] 글로벌 사이버 보안 시장의 도입 방식별 시장 규모 및 전망 (단위: 십억 달러)

전 세계 사이버 보안 시장은 산업에 따라 항공우주 및 방위 산업, 정부기관 산업, 은행, 금융서비스, 보험(BFSI) 산업, IT 및 통신 산업, 헬스케어 산업, 소매 산업, 제조업, 에너지 및 유틸리티 산업, 기타 산업으로 분류할 수 있다.

항공우주 및 방위 산업은 2018년 323억 4,000만 달러에서 연평균 성장률8.7%로 증가하여, 2023년에는 491억 5,000만 달러에 이를 것으로 전망되며, 정부기관 산업은 2018년 328억 2,000만 달러에서 연평균 성장률 11.0%로증가하여, 2023년에는 553억 8,000만 달러에 이를 것으로 전망된다. 은행, 금융서비스, 보험(BFSI) 산업은 2018년 248억 7,000만 달러에서 연평균성장률 11.4%로 증가하여, 2023년에는 426억 4,000만 달러에 이를 것으로전망되고, IT 및 통신 산업은 2018년 180억 4,000만 달러에서 연평균 성장률 10.5%로증가하여, 2023년에는 297억 3,000만 달러에 이를 것으로 전망된다. 다음으로, 헬스케어 산업은 2018년 153억 달러에서 연평균 성장률 12.4%로 증가하여, 2023년에는 274억 9,000만 달러에 이를 것으로 전망되고, 소매 산업은 2018년 77억 4,000만 달러에서 연평균 성장률 10.3%로 증가하여, 2023년에는 126억 5,000만 달러에 이를 것으로 전망된다. 제조업은 2018년 82억 2,000만 달러에서 연평균 성장률 8.6%로 증가하여, 2023년에는 124억 달러에 이를 것으로 전망되고, 에너지 및 유틸리티 산업은 2018년 82억 8,000만 달러에서 연평균 성장률7.7%로 증가하여, 2023년에는 120억 3,000만 달러에 이를 것으로 전망된다. 마지막으로 기타 산업은 2018년 51억 2,000만 달러에서 연평균 성장률 5.8%로 증가하여, 2023년에는 68억 달러에 이를 것으로 전망된다.

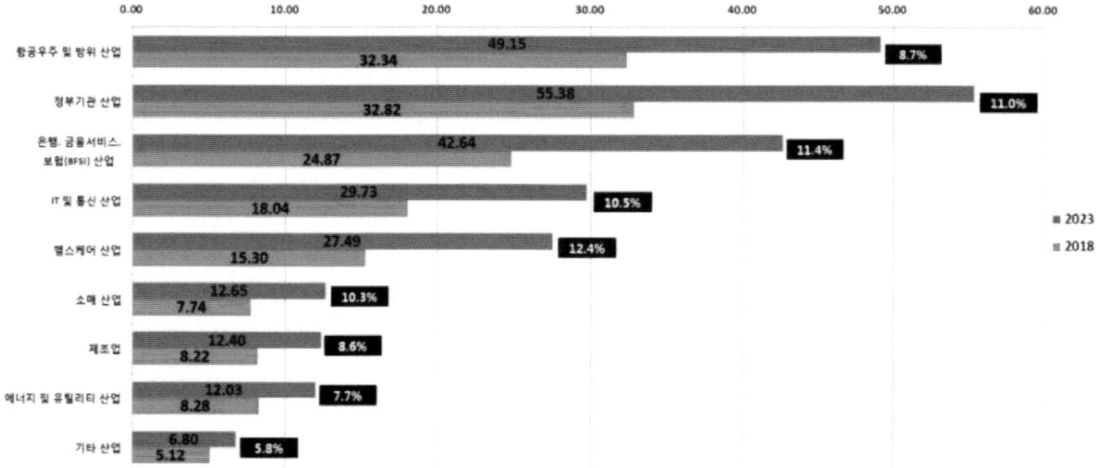

[그림 69] 글로벌 사이버 보안 시장의 산업별 시장 규모 및 전망 (단위: 십억 달러)

전 세계 사이버 보안 시장을 지역별로 살펴보면, 2018년을 기준으로 북미 지역이 42.75%로 가장 높은 점유율을 나타냈다. 북미 지역은 2018년 652억 9,000만 달러에서 연평균 성장률 8.1%로 증가하여, 2023년에는 964억 7,000만 달러에 이를 것으로 전망되고, 유럽 지역은 2018년 358억 9,000만 달러에서 연평균 성장률 7.8%로 증가하여, 2023년에는 521억 5,000만 달러에 이를 것으로 전망된다. 아시아-태평양 지역은 265억 7,000만 달러에서 연평균 성장률 15.0%로 증가하여, 2023년에는 534억 7,000만 달러에 이를 것으로 전망되고, 중동-아프리카 지역은 2018년 168억 7,000만 달러에서 연평균 성장률 13.5%로 증가하여, 2023년에는 318억 1,000만 달러에 이를 것으로 전망된다. 마지막으로 라틴 아메리카는 2018년 80억 9,000만 달러에서 연평균 성장률 12.1%로 증가하여, 2023년에는 143억 5,000만 달러에 이를 것으로 전망된다.

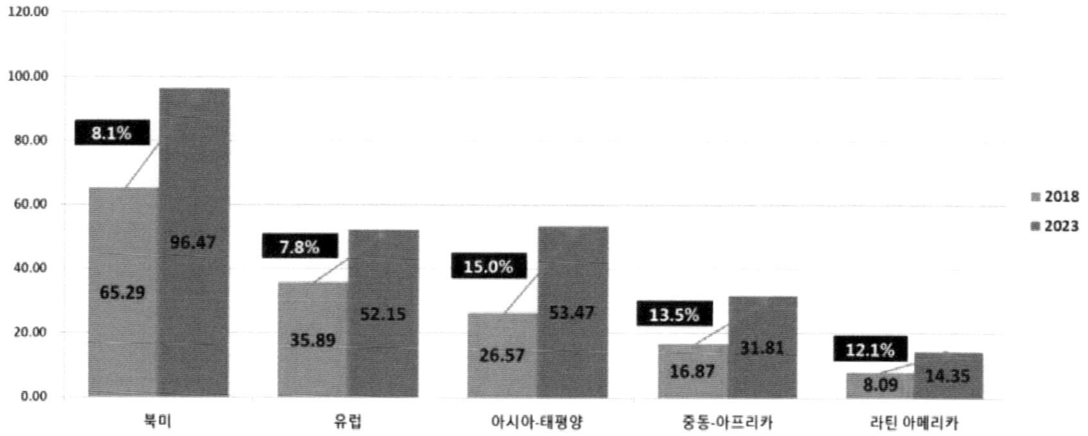

[그림 70] 글로벌 사이버 보안 시장의 지역별 시장 규모 및 전망 (단위: 십억 달러)

나) 국내 시장 전망[51)]

우리나라의 클라우드 보안 시장은 2020년 10억 3,100만 달러에서 연평균 성장률 14.6%로 증가하여, 2025년에는 20억 4,100만 달러에 이를 것으로 전망된다.

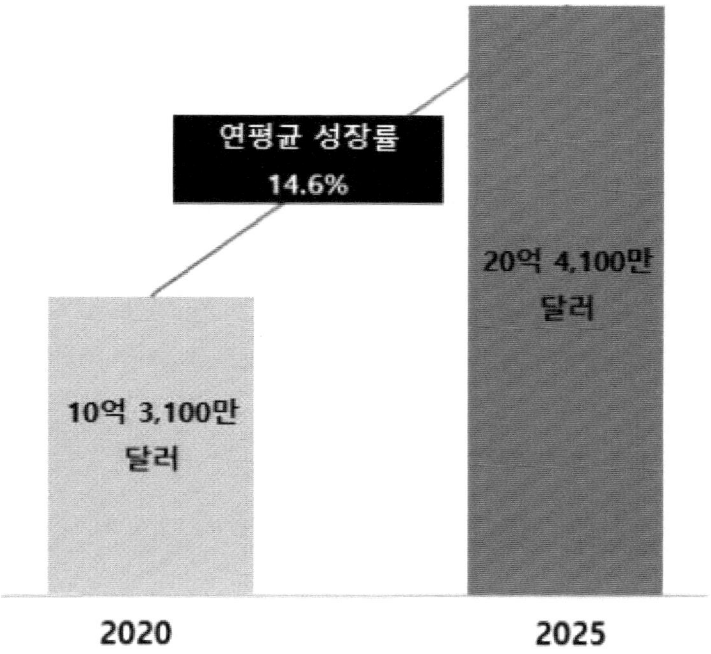

[그림 71] 국내 클라우드 보안 시장 규모 및 전망

우리나라의 클라우드 보안 시장을 보안 유형별로 살펴보면, 경계 보안, 네트워크 보안, 앤드포인트 보안, 애플리케이션 보안, 데이터 보안, 기타로 분류할 수 있다. 경계 보안 분야는 2020년 1억 3,600만 달러에서 연평균 성장률 15.1%로 증가하여, 2025년에는 2억 7,400만 달러에 이를 것으로 전망되며, 네트워크 보안 분야는 2020년 1억 8,900만 달러에서 연평균 성장률 14.2%로 증가하여, 2025년에는 3억 6,800만 달러에 이를 것으로 전망된다. 앤드포인트 보안 분야는 2020년 8,600만 달러에서 연평균 성장률 12.6%로 증가하여, 2025년에는 1억 5,600만 달러에 이를 것으로 전망되고, 애플리케이션 보안 분야는 2020년 5,400만 달러에서 연평균 성장률 16.0%로 증가하여, 2025년에는 1억 1,300만 달러에 이를 것으로 전망된다. 다음으로 데이터 보안 분야는 2020년 9,200만 달러에서 연평균 성장률 15.6%로 증가하여, 2025년에는 1억 9,00만 달러에 이를 것으로 전망되며, 마지막으로 기타 분야는 2020년 4억 7,400만 달러에서 연평균 성장률 14.7%로 증가하여, 2025년에는 9억 4,000만 달러에 이를 것으로 전망된다.

---

51) 클라우드 보안 시장, 연구개발특구진흥재단, 2021.04

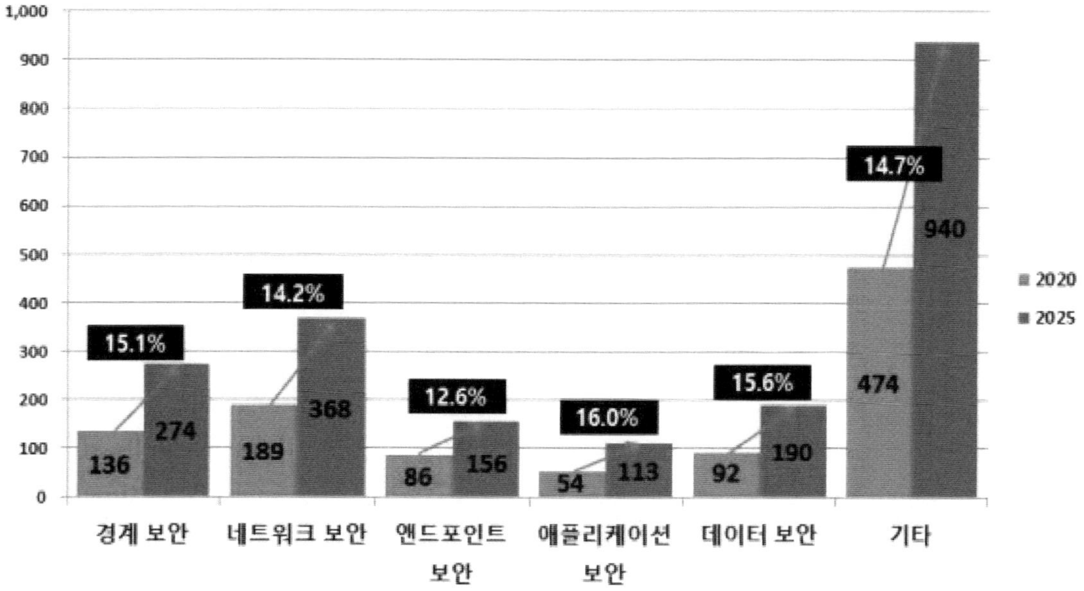

[그림 72] 국내 클라우드 보안 시장의 보안 유형별 시장 규모 및 전망 (단위: 백만 달러)

3. 키오스크 시장[52)]

가) 세계 시장 전망

전 세계 대화형 키오스크 시장은 2019년 234억 2,000만 달러에서 연평균 성장률 3.79%로 증가하여, 2024년에는 282억 1,000만 달러에 이를 것으로 전망된다.

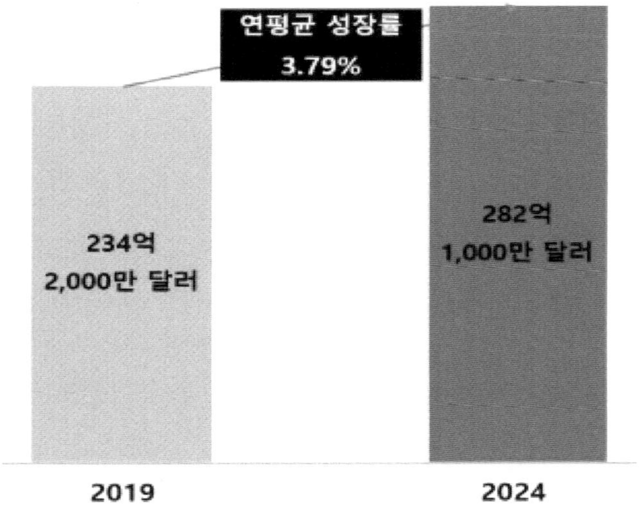

[그림 73] 글로벌 대화형 키오스크 시장 규모 및 전망

전 세계 대화형 키오스크 시장은 제공물에 따라 소프트웨어 및 서비스, 하드웨어로 분류할 수 있다. 소프트웨어 및 서비스는 2020년 168억 달러에서 연평균 성장률 5.0%로 증가하여, 2025년에는 214억 달러에 이를 것으로 전망되며, 하드웨어는 2020년 94억 달러에서 연평균 성장률 4.0%로 증가하여, 2025년에는 114억 달러에 이를 것으로 전망된다.

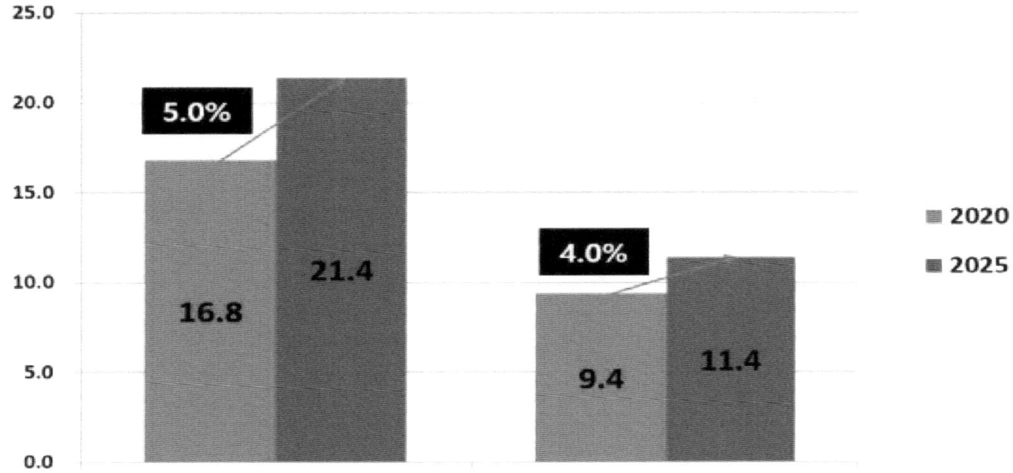

[그림 74] 글로벌 대화형 키오스크 시장의 제공물별 시장 규모 및 전망 (단위: 십억 달러)

---

52) 대화형 키오스크 시장, 연구개발특구진흥재단, 2021.03

전 세계 대화형 키오스크 시장은 종류에 따라 자동 판매 키오스크, 셀프서비스 키오스크, 은행 키오스크로 분류할 수 있다. 자동 판매 키오스크는 2020년 143억 달러에서 연평균 성장률 3.6%로 증가하여, 2025년에는 171억 달러에 이를 것으로 전망되며, 셀프서비스 키오스크는 2020년 115억 달러에서 연평균 성장률 5.4%로 증가하여, 2025년에는 149억 달러에 이를 것으로 전망된다. 마지막으로 은행 키오스크는 2020년 4억 달러에서 연평균 성장률 13.3%로 증가하여, 2025년에는 8억 달러에 이를 것으로 전망된다.

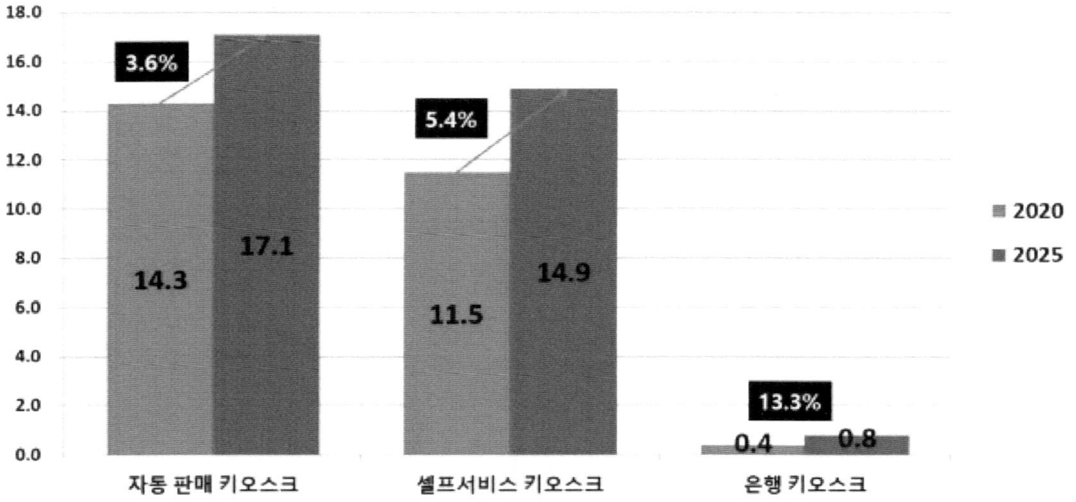

[그림 75] 글로벌 대화형 키오스크 시장의 종류별 시장 규모 및 전망 (단위: 십억 달러)

전 세계 대화형 키오스크 시장은 설치 장소에 따라 실내와 실외로 분류할 수 있다. 실내는 2020년 162억 달러에서 연평균 성장률 4.2%로 증가하여, 2025년에는 199억 달러에 이를 것으로 전망되며, 실외는 2020년 100억 달러에서 연평균 성장률 5.3%로 증가하여, 2025년에는 130억 달러에 이를 것으로 전망된다.

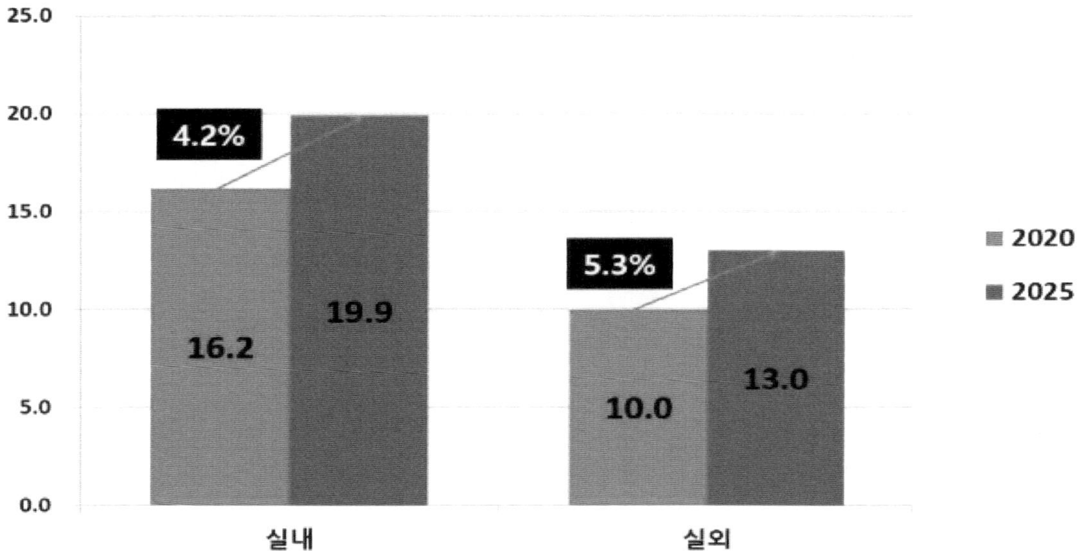

[그림 76] 글로벌 대화형 키오스크 시장의 설치 장소별 시장 규모 및 전망 (단위: 십억 달러)

전 세계 대화형 키오스크 시장은 패널 크기에 따라 17-32 인치와 32인치 이상으로 분류할 수 있다. 17-32 인치는 2020년 181억 달러에서 연평균 성장률 4.0%로 증가하여, 2025년에는 220억 달러에 이를 것으로 전망되며, 32인치 이상은 2020년 81억 달러에서 연평균 성장률 5.9%로 증가하여, 2025년에는 108억 달러에 이를 것으로 전망된다.

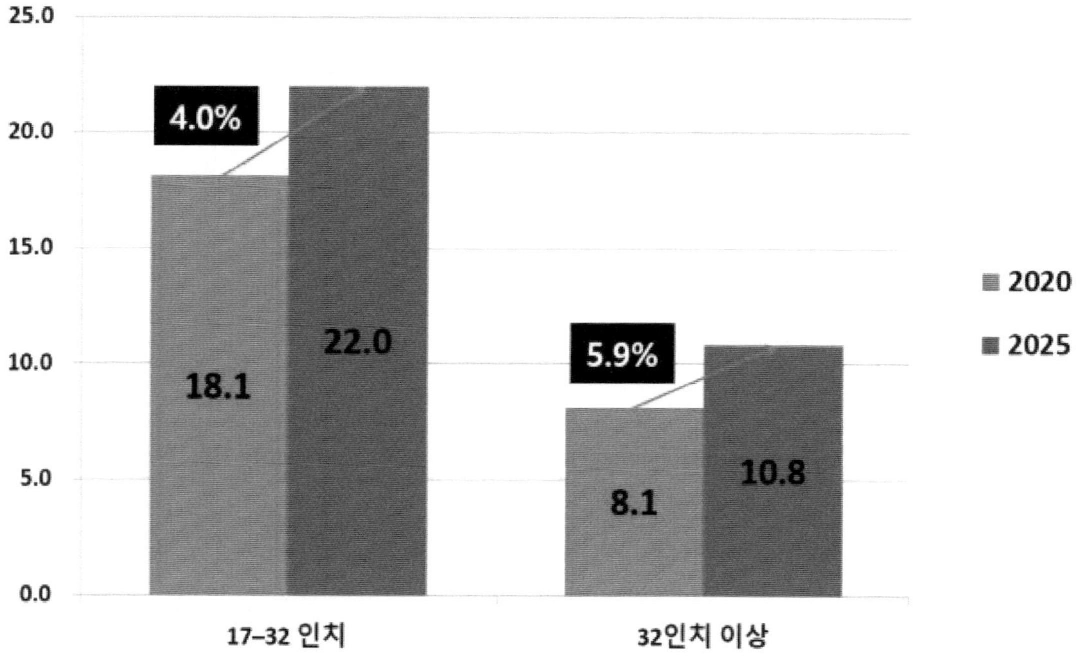

[그림 77] 글로벌 대화형 키오스크 시장의 패널 크기별 시장 규모 및 전망 (단위: 십억 달러)

전 세계 대화형 키오스크 시장은 산업에 따라 소매 산업, 운송 산업, 엔터테인먼트 산업, 접객 산업, 의료 산업, 정부 산업, 은행 및 금융 서비스 산업, 기타 산업으로 분류할 수 있다. 소매 산업은 2020년 58억 달러에서 연평균 성장률 3.8%로 증가하여, 2025년에는 70억 달러에 이를 것으로 전망되며, 운송 산업은 2020년 52억 달러에서 연평균 성장률 5.2%로 증가하여, 2025년에는 67억 달러에 이를 것으로 전망된다. 엔터테인먼트 산업은 2020년 43억 달러에서 연평균 성장률 4.7%로 증가하여, 2025년에는 54억 달러에 이를 것으로 전망되고, 접객 산업은 2020년 32억 달러에서 연평균 성장률 4.8%로 증가하여, 2025년에는 41억 달러에 이를 것으로 전망된다. 다음으로 의료 산업은 2020년 26억 달러에서 연평균 성장률 5.3%로 증가하여, 2025년에는 34억 달러에 이를 것으로 전망되고, 정부 산업은 2020년 22억 달러에서 연평균 성장률 3.8%로 증가하여, 2025년에는 27억 달러에 이를 것으로 전망된다. 은행 및 금융 서비스 산업은 2020년 4억 달러에서 연평균 성장률 13.3%로 증가하여, 2025년에는 8억 달러에 이를 것으로 전망되고, 마지막으로 기타 산업은 2020년 24억 달러에서 연평균 성장률 3.1%로 증가하여, 2025년에는 28억 달러에 이를 것으로 전망된다.

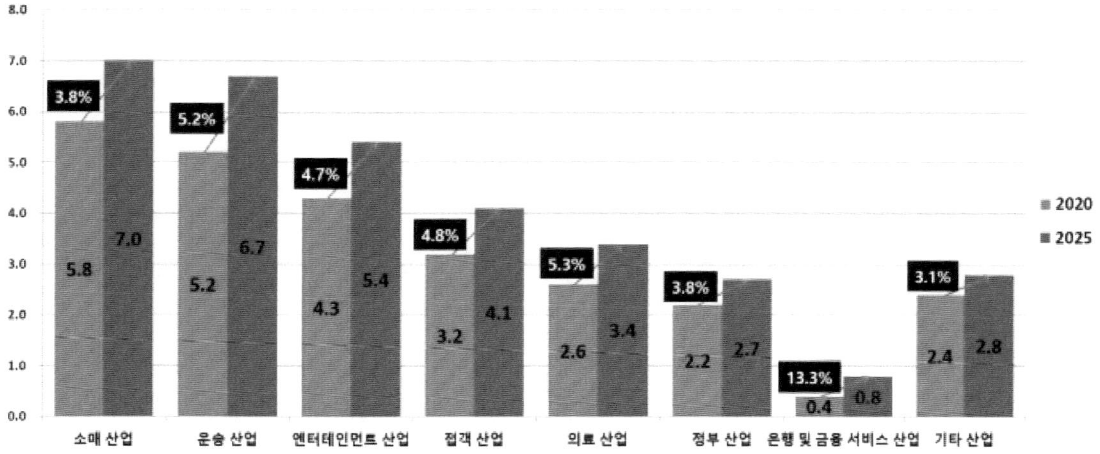

[그림 78] 글로벌 대화형 키오스크 시장의 산업별 시장 규모 및 전망 (단위: 십억 달러)

전 세계 대화형 키오스크 시장을 지역별로 살펴보면, 2019년을 기준으로 북아메리카 지역이 46% 이상으로 가장 높은 점유율을 나타냈다. 북아메리카 지역은 2020년 118억 달러에서 연평균 성장률 2.1%로 증가하여, 2025년에는 130억 달러에 이를 것으로 전망되며, 유럽 지역은 2020년 73억 달러에서 연평균 성장률 5.0%로 증가하여, 2025년에는 94억 달러에 이를 것으로 전망된다. 아시아-태평양 지역은 2020년 48억 달러에서 연평균 성장률 8.9%로 증가하여, 2025년에는 74억 달러에 이를 것으로 전망되며, 마지막으로 그 외 지역은 2020년 23억 달러에서 연평균 성장률 5.9%로 증가하여, 2025년에는 31억 달러에 이를 것으로 전망된다.

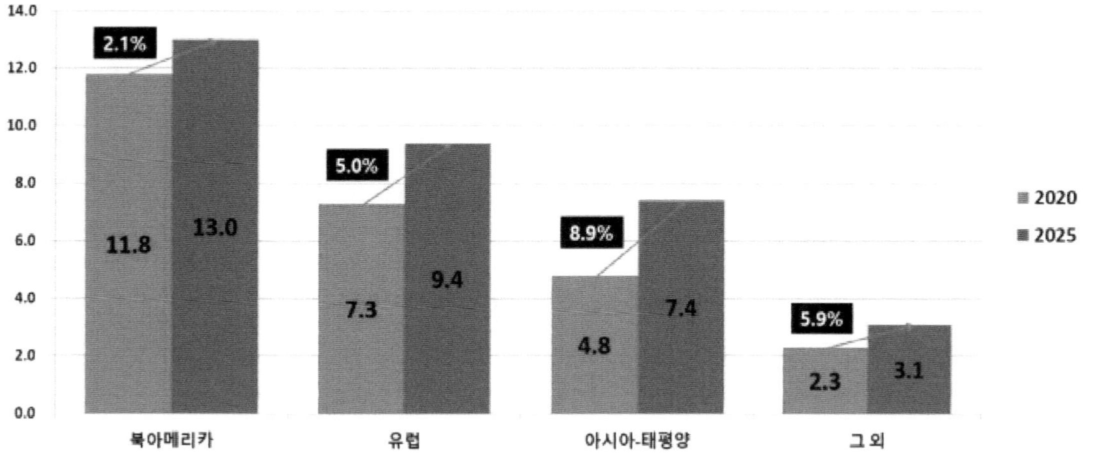

[그림 79] 글로벌 대화형 키오스크 시장의 지역별 시장 규모 및 전망 (단위: 십억 달러)

나) 국내 시장 전망

우리나라의 대화형 키오스크 시장은 2020년 5억 4,200만 달러에서 연평균 성장률 9.3%로 증가하여, 2025년에는 8억 4,600만 달러에 이를 것으로 전망된다.

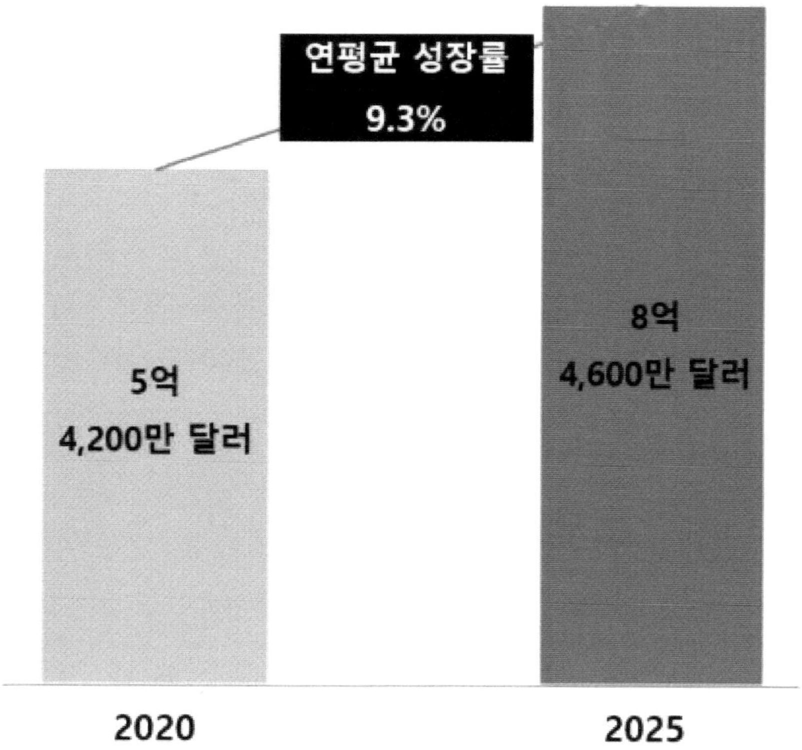

[그림 80] 우리나라 대화형 키오스크 시장 규모 및 전망

4. 생체인식 시스템[53)]

가) 세계 시장 전망

전 세계 생체인식 시스템 시장은 2020년 366억 달러에서 연평균 성장률 13.4%로 증가하여, 2025년에는 686억 달러에 이를 것으로 전망된다.

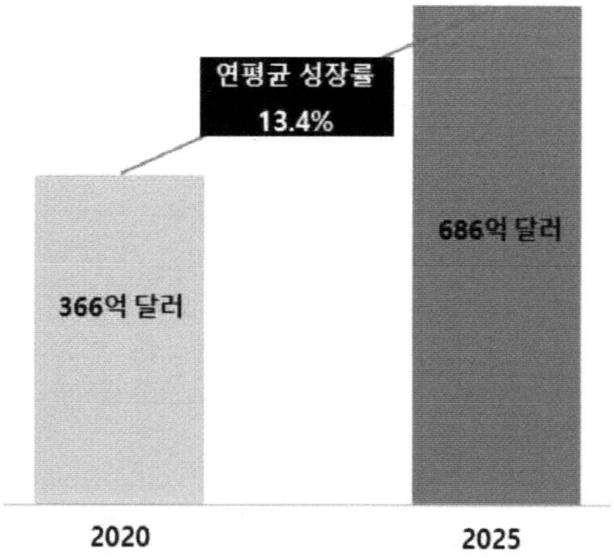

[그림 81] 글로벌 생체인식 시스템 시장 규모 및 전망

전 세계 생체인식 시장은 2019년 302억 6,000만 달러에서 연평균 성장률 9.83%로 증가하여, 2024년에는 483억 6,000만 달러에 이를 것으로 전망된다.

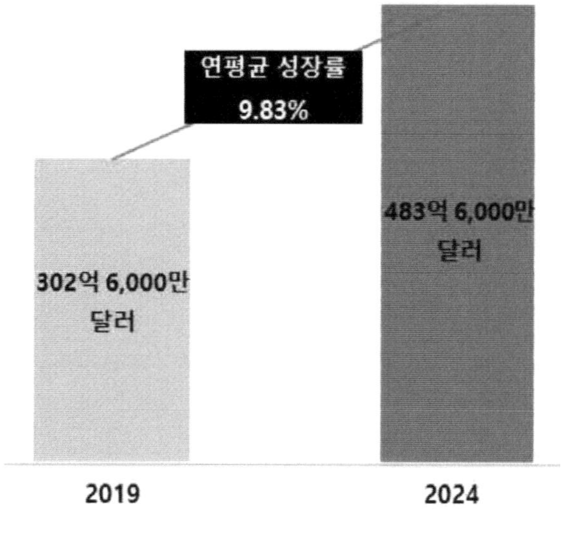

[그림 82] 글로벌 생체인식 시장 규모 및 전망

53) 생체인식 시스템 시장, 연구개발특구진흥재단, 2021.04

전 세계 생체인식 시스템 시장은 인증 유형 및 인증 기술에 따라 단일요소 인증, 다요소 인증으로 분류할 수 있다. 단일요소 인증은 2020년 331억 달러에서 연평균 성장률 12.9%로 증가하여, 2025년에는 606억 달러에 이를 것으로 전망되며, 다요소 인증은 2020년 35억 달러에서 연평균 성장률 17.9%로 증가하여, 2025년에는 80억 달러에 이를 것으로 전망된다.

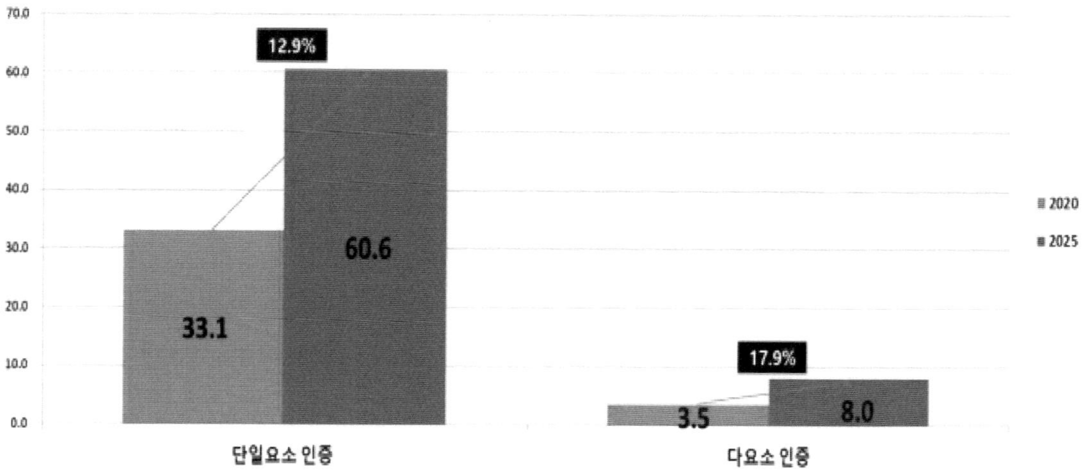

[그림 83] 글로벌 생체인식 시스템 시장의 인증 유형 및 인증 기술별 시장 규모 및 전망 (단위: 십억 달러)

전 세계 생체인식 시스템 시장의 단일요소 인증은 기술에 따라 지문 인식, 홍채 인식, 장문 인식, 얼굴 인식, 정맥 인식, 서명 인식, 음성 인식, 기타로 분류할 수 있다. 지문 인식은 2020년 168억 달러에서 연평균 성장률 8.7%로 증가하여, 2025년에는 254억 8,000만 달러에 이를 것으로 전망되며, 홍채 인식은 2020년 26억 400만 달러에서 연평균 성장률 12.8%로 증가하여, 2025년에는 47억 5,200만 달러에 이를 것으로 전망된다. 장문 인식은 2020년 8억 5,100만 달러에서 연평균 성장률 8.5%로 증가하여, 2025년에는 12억 8,100만 달러에 이를 것으로 전망되며, 얼굴 인식은 2020년 91억 8,300만 달러에서 연평균 성장률 15.6%로 증가하여, 2025년에는 189억 3,800만 달러에 이를 것으로 전망된다. 다음으로 정맥 인식은 2020년 10억 7,200만 달러에서 연평균 성장률 16.7%로 증가하여, 2025년에는 23억 1,900만 달러에 이를 것으로 전망되고, 서명 인식은 2020년 2억 7,900만 달러에서 연평균 성장률 22.3%로 증가하여, 2025년에는 7억 6,300만 달러에 이를 것으로 전망된다. 그리고 음성 인식은 2020년 13억 9,800만 달러에서 연평균 성장률 23.9%로 증가하여, 2025년에는 40억 8,600만 달러에 이를 것으로 전망되며, 마지막으로 기타는 2020년 9억 3,900만 달러에서 연평균 성장률 26.3%로 증가하여, 2025년에는 30억 2,300만 달러에 이를 것으로 전망된다.

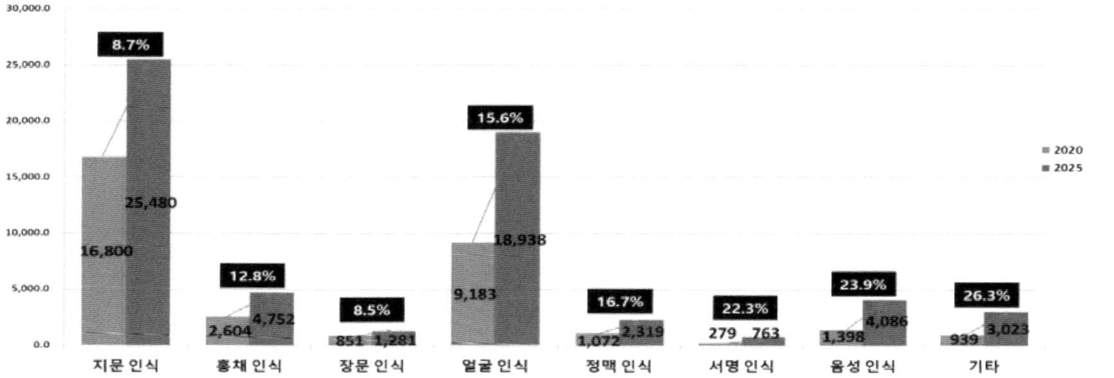

[그림 84] 글로벌 생체인식 시스템 시장의 단일요소 인증 기술별 시장 규모 및 전망
(단위: 백만 달러)

전 세계 생체인식 시스템 시장의 다요소 인증은 기술에 따라 생체인식 스마트 카드, 생체인식 핀, 멀티모달로 분류할 수 있다. 생체인식 스마트 카드는 2020년 2억 5,500만 달러에서 연평균 성장률 37.1%로 증가하여, 2025년에는 12억 3,600만 달러에 이를 것으로 전망되며, 생체인식 핀은 2020년 21억 5,900만 달러에서 연평균 성장률 13.9%로 증가하여, 2025년에는 41억 3,000만 달러에 이를 것으로 전망된다. 마지막으로 멀티모달은 2020년 10억 9,300만 달러에서 연평균 성장률 19.1%로 증가하여, 2025년에는 26억 2,300만 달러에 이를 것으로 전망된다.

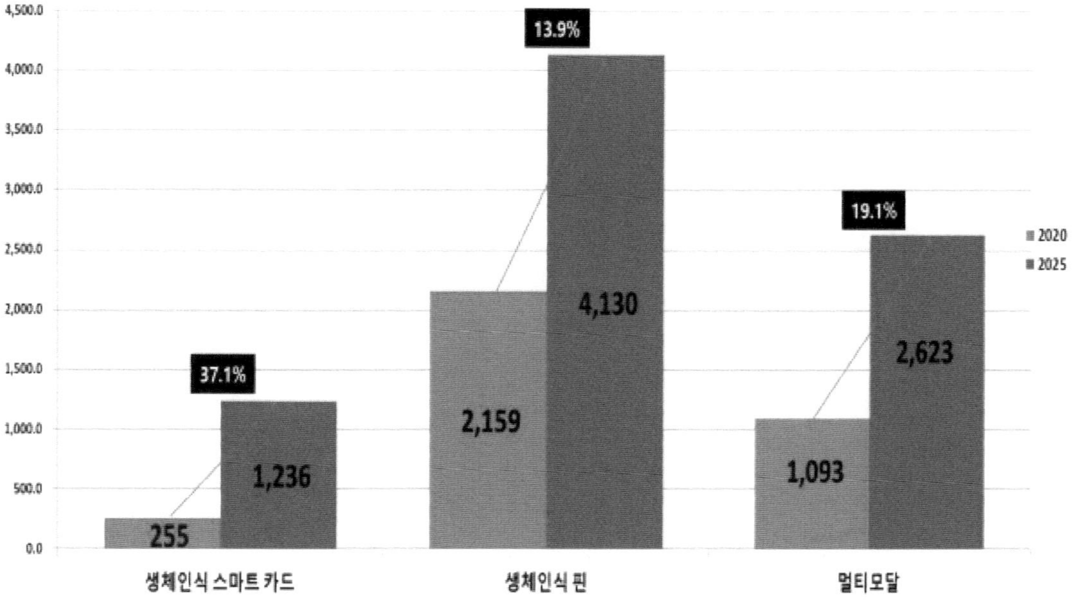

[그림 85] 글로벌 생체인식 시스템 시장의 다요소 인증 기술별 시장 규모 및 전망
(단위: 백만 달러)

전 세계 생체인식 시스템 시장은 제공 구분에 따라 소프트웨어, 하드웨어로 분류할 수 있다. 소프트웨어는 2020년 188억 달러에서 연평균 성장률 15.6%로 증가하여, 2025년에는 388억 달러에 이를 것으로 전망되고, 하드웨어는 2020년 178억 달러에서 연평균 성장률 10.8%로 증가하여, 2025년에는 298억 달러에 이를 것으로 전망된다.

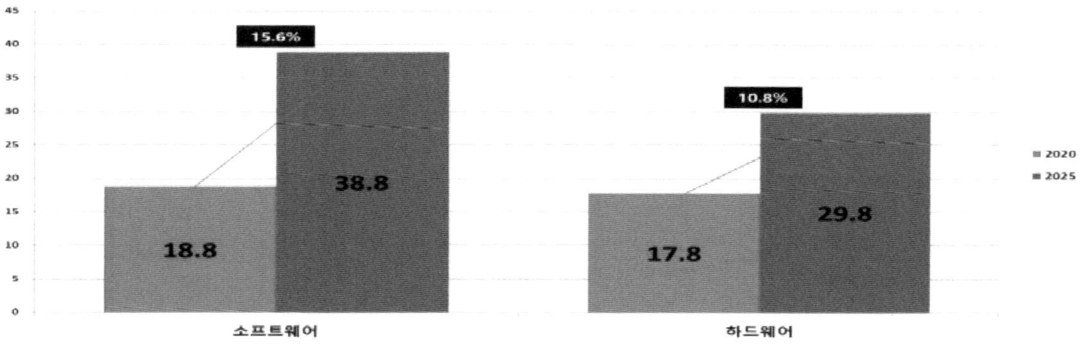

[그림 86] 글로벌 생체인식 시스템 시장의 제공 구분별 시장 규모 및 전망 (단위: 십억 달러)

전 세계 생체인식 시스템 시장은 하드웨어 구성 요소에 따라 지문 리더, 스캐너, 카메라, 기타로 분류할 수 있다. 지문 리더는 2020년 111억 달러에서 연평균 성장률 6.4%로 증가하여, 2025년에는 151억 달러에 이를 것으로 전망되고, 스캐너는 2020년 33억 달러에서 연평균 성장률 19.8%로 증가하여, 2025년에는 81억 달러에 이를 것으로 전망된다. 다음으로 카메라는 2020년 29억 달러에서 연평균 성장률 27.7%로 증가하여, 2025년에는 99억 달러에 이를 것으로 전망되고, 마지막으로 기타는 2020년 15억 달러에서 연평균 성장률 30.7%로 증가하여, 2025년에는 57억 달러에 이를 것으로 전망된다.

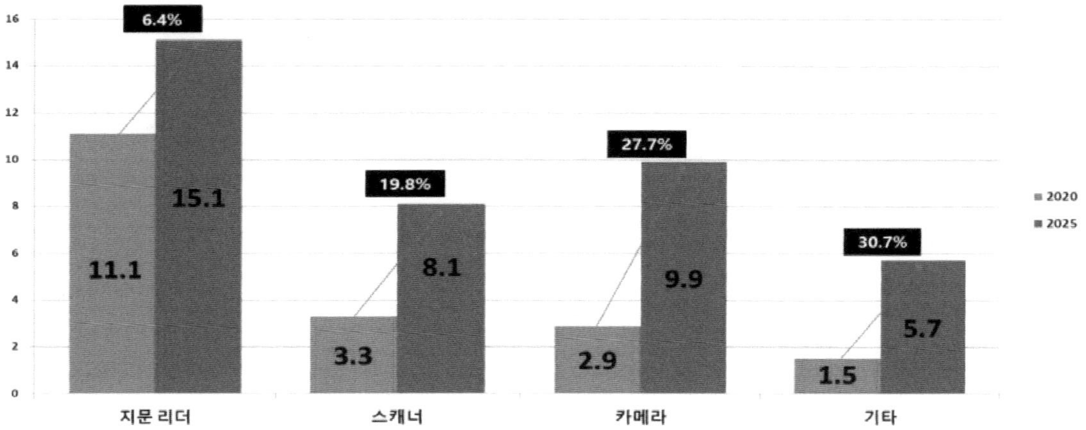

[그림 87] 글로벌 생체인식 시스템 시장의 하드웨어 구성 요소별 시장 규모 및 전망 (단위: 십억 달러)

전 세계 생체인식 시스템 시장은 유형에 따라 접촉형, 비접촉형, 하이브리드형으로 분류할 수 있다. 접촉형은 2020년 179억 달러에서 연평균 성장률 9.0%로 증가하여, 2025년에는 275억 달러에 이를 것으로 전망되며, 비접촉형은 2020년 132억 달러에서 연평균 성장률 16.1%로 증가하여, 2025년에는 278억 달러에 이를 것으로 전망된다. 하이브리드형은 2020년 55억 달러에서 연평균 성장률 19.3%로 증가하여, 2025년에는 133억 달러에 이를 것으로 전망된다.

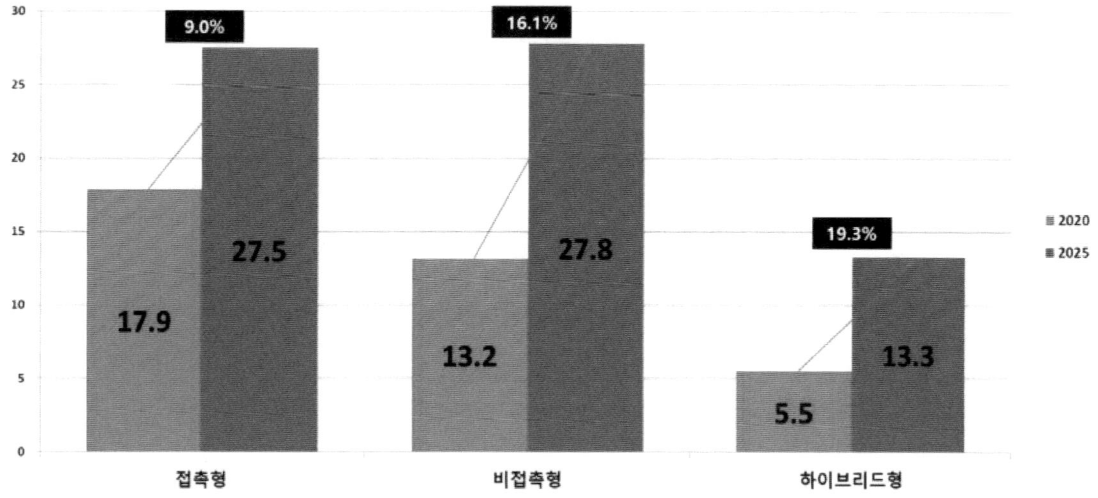

[그림 88] 글로벌 생체인식 시스템 시장의 유형별 시장 규모 및 전망 (단위: 십억 달러)

전 세계 생체인식 시스템 시장은 산업에 따라 정부, 여행 및 이민, 가전제품, 군대 및 방위, 은행 및 금융, 헬스케어, 보안, 자동차, 기타로 분류할 수 있다. 정부는 2020년 71억 달러에서 연평균 성장률 10.0%로 증가하여, 2025년에는 115억 달러에 이를 것으로 전망되며, 여행 및 이민은 2020년 61억 달러에서 연평균 성장률 8.7%로 증가하여, 2025년에는 92억 달러에 이를 것으로 전망된다. 가전제품은 2020년 58억 달러에서 연평균 성장률 14.6%로 증가하여, 2025년에는 115억 달러에 이를 것으로 전망되고, 군대 및 방위는 2020년 45억 달러에서 연평균 성장률 14.9%로 증가하여, 2025년에는 91억 달러에 이를 것으로 전망된다. 다음으로 은행 및 금융은 2020년 42억 달러에서 연평균 성장률 15.7%로 증가하여, 2025년에는 87억 달러에 이를 것으로 전망되고, 헬스케어는 2020년 35억 달러에서 연평균 성장률 15.6%로 증가하여, 2025년에는 71억 달러에 이를 것으로 전망된다. 보안은 2020년 28억 달러에서 연평균 성장률 14.7%로 증가하여, 2025년에는 56억 달러에 이를 것으로 전망되고, 자동차는 2020년 10억 달러에서 연평균 성장률 16.6%로 증가하여, 2025년에는 21억 달러에 이를 것으로 전망된다. 마지막으로 기타는 2020년 16억 달러에서 연평균 성장률 18.3%로 증가하여, 2025년에는 38억 달러에 이를 것으로 전망된다.

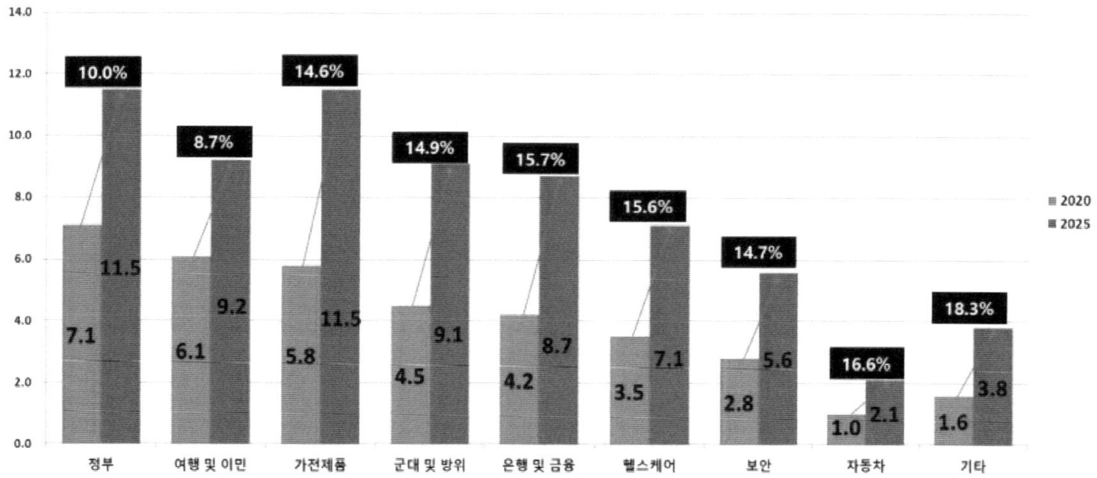

[그림 89] 글로벌 생체인식 시스템 시장의 산업별 시장 규모 및 전망 (단위: 십억 달러)

전 세계 생체인식 시스템 시장을 지역별로 살펴보면, 2019년을 기준으로 북아메리카 지역이 32.0%로 가장 높은 점유율을 나타냈다. 아시아-태평양 지역은 2020년 117억 달러에서 연평균 성장률 14.0%로 증가하여, 2025년에는 225억 달러에 이를 것으로 전망되고, 북아메리카 지역은 2020년 115억 달러에서 연평균 성장률 11.1%로 증가하여, 2025년에는 195억 달러에 이를 것으로 전망된다. 유럽 지역은 2020년 98억 달러에서 연평균 성장률 12.1%로 증가하여, 2025년에는 173억 달러에 이를 것으로 전망되며, 마지막으로 그 외 지역은 2020년 37억 달러에서 연평균 성장률 20.5%로 증가하여, 2025년에는 94억 달러에 이를 것으로 전망된다.

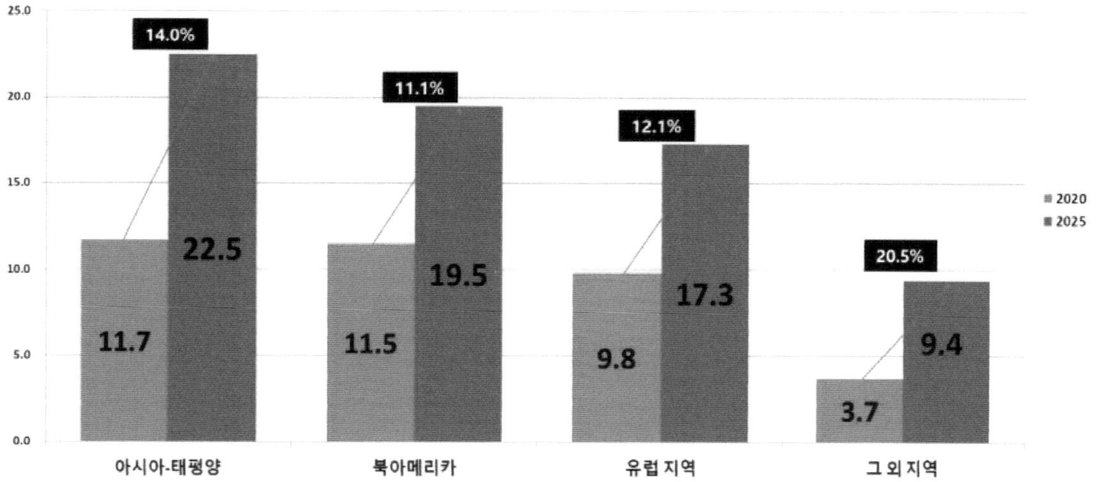

[그림 90] 글로벌 생체인식 시스템 시장의 지역별 시장 규모 및 전망 (단위: 십억 달러)

나) **국내 시장 전망**

우리나라의 생체인식 시스템 시장은 2020년 17억 달러에서 연평균 성장률 11.0%로 증가하여, 2025년에는 29억 달러에 이를 것으로 전망된다.

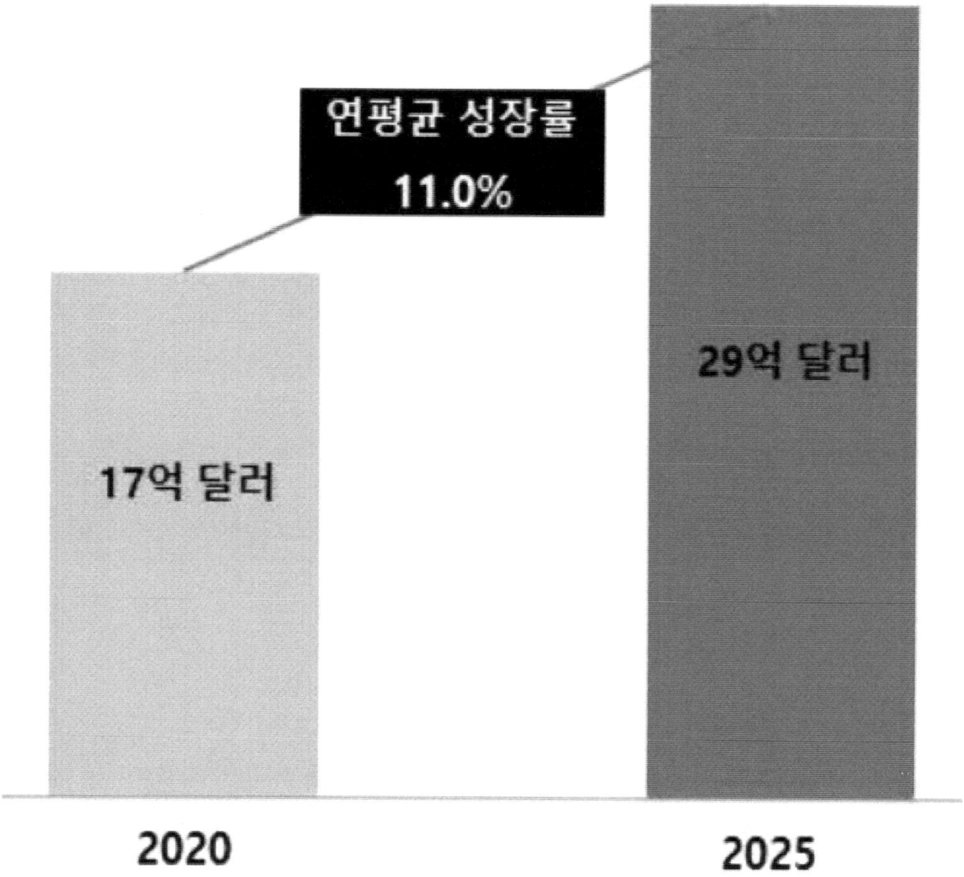

[그림 91] 우리나라 생체인식 시스템 시장 규모 및 전망

V. 관련 기업

V. 관련 기업

1. 국내

가) 한국전자금융

한국전자금융주식회사
NICE ©Banking Services

[그림 92] 한국전자금융(주)

한국전자금융은 1993년 한국신용정보 금융사업본부의 NICE 현금 지급기(CD VAN) 사업에서 시작됐다. 1997년에는 은행 ATM 관리 사업을 개시했으며 2000년에 한국신용정보에서 분사하여 한국전자금융㈜을 설립하였다. 2006년에 코스닥 시장에 상장했으며 현금물류 사업에도 진출했다. 2014년에 런칭한 무인주차 및 키오스크 사업이 최저임금 인상으로 인한 무인화 추세에 편승하며 최근 주목 받고 있다. 2015년 POS 제조기업 ㈜오케이포스, 2016년 골프장 ERP솔루션 공급업체 ㈜무노스, 2017년 CD VAN사 BGF핀링크를 인수하며 계속해서 사업을 확장해 오고 있다.

한국전자금융의 주요 사업부문은 금융/VAN/무인자동화 부문, 현금수송 부문, 결제장비 부문, 가맹점 네트워크 부문이 있다.

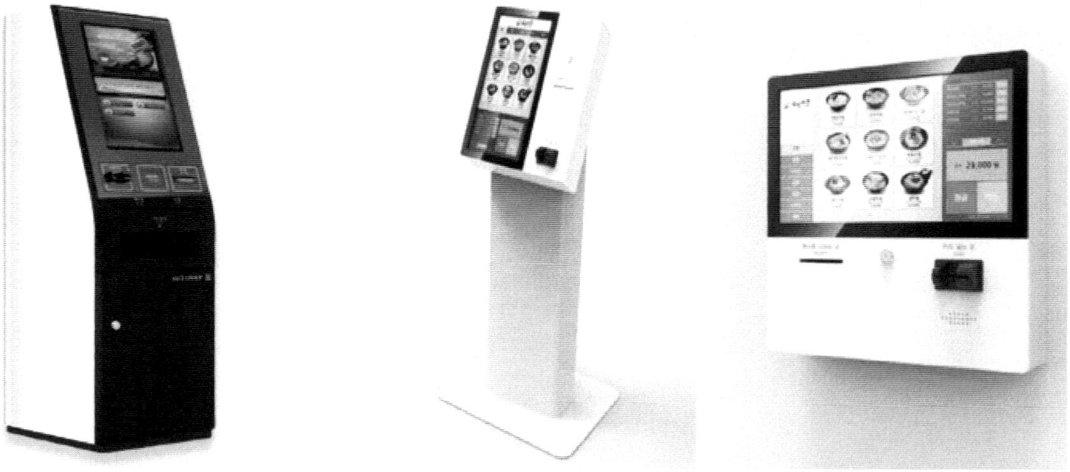

[그림 93] 한국전자금융 KIOSK사업

한국전자금융은 민간기업 최초로 현금지급기 CD VAN 사업을 시작했다. 현재 약 20,000 여대의 CD기를 주요 공공장소 및 대형 유통업체 등에 설치하여 운영하고 있으며, CD VAN 사업을 통해 쌓아온 역량에 기반하여 금융기관 자동화기기(ATM) 관리사업에서도 전국 약 8,000 대의 자동화기기를 운영하며 선두를 달리고 있다.

최근에는 기존의 CD VAN 및 ATM 사업의 관리 영역을 활용해 진출한 무인주차장과 키오스크 등의 무인화사업에도 주력하고 있다. 2019년에는 깔끔한 디자인을 자랑하는 TCM SMART K7, TCM SMART K0/K1 등의 키오스크 신제품을 출시하였으며, 이와 같은 키오스크 제품들은 공차, 신전떡볶이 등을 비롯한 외식 프랜차이즈 매장과 롯데백화점, 홈플러스 등의 유통업체 등에 납품되어 활용되고 있다.[54]

최근 LG전자는 식음료 매장 등에 설치해 사용하는 셀프 주문 키오스크의 출시를 발표했다. 이 제품은 무인솔루션 전문업체 한국전자금융의 키오스크 전용 UX(사용자 경험)에 LG전자 자체 디자인을 더해 직관적이고 편리한 사용자환경을 구현했다.[55]

[그림 94] LG전자 키오스크

54) 캐치
55) LG전자, 화면 키워 잘 보이는 '셀프 주문' 키오스크 출시,매일경제,2022.04.05

주요재무정보[56]	연간			
	2018/12	2019/12	2020/12	2021/12
매 출 액	2,944	2,789	2,259	2,384
영업이익	249	156	142	143
당기순이익	123	10	20	90
자산총계	4,109	4,539	4,779	4,888
부채총계	2,459	2,936	3,204	3,222
자본총계	1,650	1,604	1,576	1,665

[표 23] 한국전자금융 재무제표 (억 원)

56) 네이버 금융

나) **효성티앤에스**

HYOSUNG TNS

[그림 95] 효성티앤에스

효성티앤에스는 효성그룹 정보통신PG 계열사로서 1979년 효성컴퓨터사업부로 설립된 이래 2002년 7월 효성컴퓨터와 효성데이타시스템의 통합으로 새롭게 출범하여, 21세기를 선도하는 종합 금융 솔루션 기반 전문회사(Total Financial Solution Provider)로 성장하고 있다.

효성티앤에스는 국내는 물론 해외 은행 및 금융기관을 대상으로 금융자동화기기의 개발과 판매에 역량을 집중해 오고 있으며, 종합금융솔루션·서비스'를 창출해 가고 있다. 효성티엔에스는 주력사업인 ATM의 경쟁력을 강화하기 위해 저가 시장 진입 및 원가 경쟁력 강화를 위한 출금/환류 ATM 신기종을 개발하고, 미국 대형은행 니즈를 만족시키기위한 입출금기 라인업, 그리고 미국, 러시아, 인도네시아 등 시장과 고객을 확대하기 위한 NBS/TCR 라인업을 강화하고 있다.

또한, 차별화된 VIU(Value In Use) 제품을 개발하기 위하여 미국 대형은행 소형지점, 리테일에 적합한 소형 환류기, 차세대 ATM 소프트웨어 시장선점을 위한 Cloud-Based ATM 소프트웨어 플랫폼, 국내 편의점용 Multi-ATM, 금융플랫폼/인터넷은행 특화 거래 소프트웨어 등의 개발을 진행하고 있다.[57]

최근 효성티앤에스는 소상공인연합회와 함께 소상공인 무인주문 키오스크 지원사업을 진행했다. 효성티앤에스는 이 사업을 통해 소상공인에게 단말기 시중가 기준 27%를 지원한다. 이를 통해 379만 원의 기기를 소상공인은 277만 원으로 구매할 수 있다. 효성티엔에스는 무인주문 기기와 프린터 외에도 현장설치비, 점주 교육, 3년 무상보증까지 지원한다. 2022년까지 전국 소상공인 매장 2만여개를 대상으로 약 200억원을 지원할 계획이다.[58]

프리미엄 셀프빨래방 워시엔조이를 운영하는 (주)코리아런드리가 무인 매장 전용 AI 솔루션 사업 개발 및 구축을 위해 효성TNS와 업무협약(MOU)을 체결했다. 양사는 무인 매장 AI 솔루션 구축 사업의 성공적인 추진을 위해 AI 무인 냉장고 현장 도입 및 환경 설계, AI 솔루션 고도화를 위한 기술 교류 등을 진행할 예정이다. 이를 통해 무인으로 운영되는 셀프빨래방 사업을 IT와 AI 기반의 유통 플랫폼으로 혁신, 무인 사업의 운영 효율성을 높이고 소비자에게 새로운 쇼핑 경험을 제공할 수 있는 AI 솔루션 사업을 공동 개발할 예정이다. [59]

---

57) '효성 ATM' 미국 전역으로… 새 파트너사 발굴 시동, 엄주연, 뉴데일리 경제, 2020.07.09
58) 동네순대집에 무인주문 키오스크 생겼다, 뉴스토마토, 2020.10.28
59) 효성 TNS와 손잡은 워시엔조이…차별화된 무인 매장 전용 AI 솔루션 개발, 와우티비, 2022.04.13

다) 씨아이테크

[그림 96] 씨아이테크

1967년 설립된 씨아이테크는 국내 증명서 온오프라인 자동발급기 시장 1위를 유지하며 주문관리시스템, DID시스템 및 병상스마트케어시스템 등을 개발 공급해온 IT전문기업이다. 씨아이테크는 주로 병원이나 관공서 등에 병원 처방전 수납기, 공과금 수납기, 적십자 스마트모금함 등의 키오스크를 공급해왔다. 이 외에 산업용 소재 유통사업, 부동산사업 영위하였다. 2015년 4월 종속회사였던 ㈜씨아이테크를 합병하여 사명을 변경하였다.

주요 사업으로는 HiFi Media Player ROSE, 무인증명발급 시스템, 티켓발권 시스템, 키오스크관리 시스템, 주문관리 시스템, DID시스템, 스마트 케어 시스템 등이 있다. 키오스크관리 시스템은 네트워크 상에서 24시간 무인감시 및 원격제어가 가능한 키오스크 전용 원격 관리 시스템 구축으로 장애 발생시 원격으로 감시/제어가 가능하다.[60]

[그림 97] 키오스크 제품 소개

60) 코리아센터, 키오스크 1위 '씨아이테크'에 '스탬프팡'솔루션 공급, 황상욱, 부산일보, 2020.06.22

최근 지역주민이 주민센터를 방문하지 않고도 민원서류를 발급받을 수 있는 무인민원발급기를 개발하고 조달청 나라장터에 등록했다. 씨아이테크가 개발한 무인민원발급기는 기존 발급기와는 달리 장애인 및 고령자의 편의기능을 강화한 게 특징이다. 씨아이테크는 제품에 장애인키패드, 시각장애인 음성안내, 점자라벨 및 이어폰소켓을 적용했다. 또한, 휠체어 이용자의 불편함을 해소하기 위해 발급기 화면의 높이를 1220㎜로 낮추고, 저시력자 및 시력이 감퇴한 고령자를 위해 화면 확대기능을 탑재했다.[61]

주요재무정보[62]	연간			
	2018/12	2019/12	2020/12	2021/12
매 출 액	323	407	414	472
영업이익	-20	-30	-28	9
당기순이익	-30	-45	-47	-62
자산총계	430	587	751	795
부채총계	187	248	424	317
자본총계	242	339	327	478

[표 24] 씨아이테크 재무제표 (억 원)

61) 씨아이테크, 무인민원발급기 지자체 납품 조달 등록, 한경, 2022.02.28
62) 네이버 금융

라) BGF리테일

[그림 98] BGF 리테일

전국에 편의점 프렌차이즈 CU를 운영하는 종합유통서비스 기업인 BGF리테일은 1994년 12월 설립된 ㈜보광훼미리마트가 전신이다. 보광훼미리마트의 출발은 1989년 말 ㈜보광이 회사 내에 발족시킨 편의점 사업부다.

CU는 '당신을 위한 편의점(CVS for YOU)'를 뜻하며 국내 편의점 시장점유율 1위를 차지하고 있다. CU는 KT와 업무제휴를 맺고 강원지역 CU에서 인공지능 디바이스를 통한 정보제공 서비스를 운영한다. 강원지역 점포 중 관광객 방문율이 높은 매장 70곳을 선정하고 KT의 인공지능 디바이스 '기가지니(GIGA Ginie)'를 설치했다. 이로써 강원도를 방문한 국내외 관광객들은 안내센터를 찾을 필요없이 인근 점포에서 필요한 정보를 쉽고 간편하게 얻을 수 있다.[63)]

BGF리테일은 올해 들어 점포 출입부터 결제까지 구매의 전 과정이 논스톱으로 이뤄지는 스마트 편의점 테크프렌들리CU를 선보였다. 테크프렌들리CU 안심스마트점포는 BGF리테일 자체 개발 클라우드 POS 시스템 등 100% 국내 순수 기술로 구현한 최첨단 무인 편의점이다. 테크프렌들리CU 안심스마트점포는 AI(인공지능) 솔루션 기술을 보유한 국내 우수 중소기업들과 협력해 출입 인증부터 상품 구매, 자동 결제에 이르기까지 무인편의점이 갖춰야 할 핵심요소들을 구현했다. 또 해당 점포에는 QR코드 인증으로 출입하는 스피드 게이트, 인물 탐지·동선 감지·상품 인식이 가능한 네트워크 카메라, 소비자와 구매 상품을 좌표로 매칭해 정확한 위치를 측정하는 3D(3차원) 카메라, 상품 중량을 측정할 수 있는 무게 센서가 부착된 스마트 진열대 등이 적용됐다. 아울러 도난, 화재 등 물리적 리스크와 인증, 해킹 등 정보보안 리스크로부터 소비자를 보호할 수 있는 보안 기술도 접목했다. 특히 BGF리테일은 국내 중소기업들의 혁신 기술을 직접 시험해볼 수 있는 테스트베드로 테크프랜들리CU 안심스마트점포를 활용할 예정이다.[64)]

BGF리테일은 분기보고서를 통해 스탠다드 코그니션 전환우선주 24만7838주를 122억7100만원에 취득했다고 밝혔다. BGF리테일은 이번 투자로 스탠다드 코그니션 지분 0.97%를 보유한다. 스탠다드 코그니션은 미국 실리콘밸리에 위치한 인공지능(AI) 무인결제 솔루션을 제공하는 스타트업이다. AI 기반의 컴퓨터 비전 솔루션을 통해 무인 매장에서 자동결제가 가능하다. 미국 편의점 업체인 서클 K가 주요 고객사다.[65)]

---

63) 복사기 들여놓는 편의점, 재택근무 플랫폼 노린다, 한국경제, 2020.07.16
64) BGF리테일, 무인리테일 테크·보안산업 활성화 앞장, 신아일보, 2021.12.28
65) BGF리테일, 美 무인결제 솔루션 스타트업에 123억 투자, 전자신문, 2021.11.18

주요재무정보[66]	연간			
	2018/12	2019/12	2020/12	2021/12
매 출 액	57,759	59,461	61,813	67,812
영업이익	1,895	1,966	1,622	1,994
당기순이익	1,542	1,514	1,227	1,476
자산총계	14,826	21,724	23,712	25,964
부채총계	9,609	15,498	16,743	17,871
자본총계	5,217	6,226	6,968	8,093

[표 25] BGF 리테일 재무제표 (억 원)

66) 네이버 금융

마) **GS리테일**

[그림 99] GS리테일

GS리테일은 1971년 금성전공(주)를 모태로 하여 설립된 GS그룹 산하의 유통업체이다. 2011년 12월 유가증권시장에 상장되어 매매가 개시된 바 있다. 현재 국내 주요 편의점 브랜드인 GS25, SSM체인 GS 수퍼마켓을 운영하고 있으며, 홍콩의 드러그스토어 체인 왓슨스와 제휴하여 국내에 왓슨스 브랜드를 운영하고 있다.

GS25가 업계 최초로 스마트폰 환경에서 무인 편의점의 출입 관리 및 제어, 방범 관제 등 점포 관리가 가능한 모바일 원격관리 솔루션 '무인이오'를 선보인다. 무인이오를 통해 경영주는 실시간으로 출입 내역 확인, 출입문 일시적 개방, 출입 인증 단말기 오류 시 재부팅, 점포 스피커 음량 조절, 방범 관제, 점포 방문 정보 이력 검색 및 특이 사항 알람을 이용할 수 있다. 무인점포를 운영하는 경영주는 플레이스토어 또는 앱스토어에서 해당 앱을 검색 후 설치하고, 발급받은 고유 아이디와 비밀번호를 입력하면 관리하는 무인점포을 이용할 수 있다.[67]

[그림 100] 무인이오

67) GS25, 업계 최초 무인점포 원격관리 솔루션 '무인이오' 도입, 뉴스와이어, 2022.01.10

GS25와 SK쉴더스는 무인 편의점의 운영 편의성 향상 및 보안 제공 솔루션 개발을 위한 업무협약을 맺고, 유·무인 오프라인 유통 플랫폼 보안 솔루션 발굴 및 도입, 미래형 유통 플랫폼에서 활용할 수 있는 유·무인형 솔루션 개발, 사업 내용 중 상호 보완 및 협업할 수 있는 신규 테마 개발 등에 적극적으로 협업했다.

이번에 GS25와 SK쉴더스는 '24시간 무인 안심 인공지능(AI) 솔루션 캡스 무인안심존 PC방 패키지' 출시로 SK쉴더스는 '캡스 무인안심존' 라인업을 편의점·슈퍼, 스터디카페, 음식점·카페, PC방 등 4대 무인화 인기 업종으로 확대했다. PC방 패키지는 AI CCTV, 출입인증기, 환경감지기 등 무인 PC방 운영에 필요한 모든 솔루션을 통합 제공한다. 환경감지기는 매장 내 온도 및 습도, 유해물질(TVOC)을 감지하는 장비다. 특히 청소년의 출입이 제한되는 밤 10시 이후에는 얼굴인증, QR인증, 원격 신분증 확인 등 철저한 출입 관리가 가능한 점이 특징이다.[68]

주요재무정보[69]	연간			
	2018/12	2019/12	2020/12	2021/12
매 출 액	86,916	90,069	88,623	97,657
영업이익	1,803	2,388	2,526	2,085
당기순이익	1,323	1,436	1,545	8,013
자산총계	50,989	70,497	71,778	94,560
부채총계	26,405	44,826	45,106	50,416
자본총계	24,583	25,671	26,672	44,144

[표 26] GS리테일 재무제표 (억 원)

68) SK쉴더스-GS리테일, '무인화 시장' 선도 나섰다, 이지경제, 2021.11.24
69) 네이버 금융

2. 해외

가) 미국 아마존고

'아마존고(Amazon Go)'는 미국의 전자상거래 플랫폼 아마존이 4년 넘게 준비한 무인판매점이다. 아마존은 제프 베조스가 1994년 시애틀에 설립한 미국의 전자상거래를 기반으로 한 IT 기업이다. 도서를 비롯하여 다양한 상품은 물론 전자책, 태블릿 PC를 제조 판매하며, 기업형 클라우드 서비스도 제공하고 있다.

아마존의 대표 사업분야는 온라인 커머스 사업, 온라인 커머스 솔루션, 디지털 디바이스 사업, 미디어 콘텐츠 서비스, 클라우드 컴퓨팅 서비스 등이 있다. 1995년 인터넷 서점을 시작으로 음반, 장난감, 패션 등으로 카테고리를 확장하여 지금은 30여개 이상의 상품 카테고리를 다루고 있는 최대 규모의 온라인 커머스 업체이다. 또한 자사의 PB상품도 100개 이상 가지고 있다.

아마존은 2007년에 신선식품을 배송하는 아마존 프레시, 2011년에는 데일리 딜을 통해 지역 상점의 상품이나 물건을 싸게 판매하는 아마존 로컬 등의 사업을 확장하고 있다. 또한 최근 잠글 수 있는 커다란 주황색 사물함을 슈퍼마켓, 약국, 가전제품 매장 등에 설치해놓고 고객이 원하면 아마존 주문을 그곳으로 받아 수령할 수 있는 아마존 사물함, 드론을 이용한 배송 서비스 등 물류에서도 새로운 시도를 하고 있다. 미국 뉴욕의 맨하튼의 경우 1~2시간 내에 배송이 가능한 시스템을 준비했다.

B2C(Business To Consumer)사업 이외에도 판매자들이 아마존에 참여하여 아마존을 플랫폼으로 활용하며 소비자에게 판매할 수 있는 온라인 커머스 솔루션(Solution) 사업을 하고 있다. 전자 상거래를 시작하는 기업이나 개인에게 아마존에 물품을 판매할 수 있는 서비스, 개별 웹사이트 구축, 결제/물류 서비스 등을 제공하고 수수료 수익을 받는 모델이다.

아마존은 2018년 세계적 관심을 모은 무인상점 '아마존 고' 개장함으로써 유통업계 혁명을 일으켰다. 미국 워싱턴주 시애틀 중심가에 신설된 '아마존 고'는 계산대와 현금출납원이 필요 없는 인공지능(AI)기술을 활용한다. 아마존 본사 1층에서 고객들이 쇼핑을 끝낸 뒤 자신의 스마트폰을 회전문에 스캔하기만 하면 자동으로 자신이 산 물건 값이 계산된다.

위치	시애틀 7번가 2131(아마존 본사 1층)
시간	매주 월~금요일(오전 7시~오후 9시)
오픈	2016년 12월(직원), 2018년 1월 22일(일반)
크기	170㎡
특징	계산대·계산원 없는 매장
핵심기술	저스트 워크 아웃(AI센서 100여 개가 이용객 추적)

[표 27] 아마존 고 개요

아마존 고의 핵심 요소는 컴퓨터 시각화와 인식센서, 딥러닝 기술 등을 융합한 '저스트 워크 아웃 기술(Just Walk Out technology)'이다. 컴퓨터 비전(인간 눈의 기능과 동일한 형태를 컴퓨터가 하는 기술)과 기계학습 알고리즘 및 센서를 결합해 어떤 사람이 어떤 물건을 구매했는지 파악해 고객의 아마존 계정에 물건값을 청구한다. 고객이 골랐던 물건을 다시 제자리로 가져다 놓으면 물건 값이 청구되지 않는다.

시스템은 어떤 사람이 어떤 물건을 집었는지 알기 위해 사용자와 물건을 매칭해야 한다. 여기서 카메라가 사용되는데 카메라는 가게에 들어왔을 때, 진열대에서 물건을 꺼낼 때, 물건을 손에 쥘 때 등 이용자의 움직임을 모두 찍는다. 얼굴을 인식하고, 구매자의 키, 몸무게, 생체 정보, 이름, 구매내역 등을 파악한다.

미국 뉴욕 59번가에 위치한 '스타벅스 픽업 + 아마존 고'는 2021년 11월 18일(현지 시각)부터 영업에 들어갔으며, 2022년에는 뉴욕 타임즈 빌딩에도 새로운 매장을 열고 운영에 들어갈 예정이다. 스타벅스 픽업과 아마존 고는 공통적인 두 가지 핵심가치를 가지고 있다. 첫 번째는 '계산대 없는' 매장이고, 두 번째는 '줄 서지 않는'이다. 스타벅스 픽업은 스마트폰 앱으로 커피나 음료를 먼저 주문하고 결제한 후, 포장된 음료를 방문해서 찾아가는(takeout) 매장이다. 아마존 고는 소규모 식료품점으로 필요한 상품을 가지고 나가면 자동으로 결제가 되는 무인 결제 시스템을 갖춘 매장이다.

일단 스타벅스와 아마존의 이번 협업은 물리적인 공간만 공유하는 형태로 운영된다. 스타벅스 픽업과 아마존 고를 같은 공간에 배치해, 커피나 음료를 구매하면서 식료품까지 함께 살 수 있도록 한 것이다. 양쪽 매장에서 구매한 음료나 식품은 포장해서 가져갈 수도 있고, 라운지에서 원하는 좌석에 앉아 먹을 수도 있다.

스타벅스에서 커피를 주문한다고 하면, 스마트폰에 설치한 스타벅스 앱을 열고, 스타벅스+아마존 고 매장을 선택하고 결제를 하면된다. 아마존 고 매장에 들어가고 결제할 때는 아마존 앱, 손바닥 결제 시스템인 아마존 원(Amazon One), 신용 카드를 사용한다. 아마존 고 안에 있는 라운지에 들어갈 때도 아마존 고 입장과 동일한 동일한 방법을 사용한다.[70)]

70) '스타벅스 픽업 + 아마존 고'… 뉴욕에 협업 매장 개소, CIO Korea, 2021.11.24

나) 중국 빙고박스

[그림 101] 빙고박스

빙고박스는 2013년 설립된 기업으로 자체 물류 네트워크를 통해 현재 중국 5개 도시에서 무인편의점 서비스를 제공하고 있다. 빙고박스의 모회사는 2013년 11월 설립된 빈궈수이궈(繽果水果)로, 연매출 수천만위안에 달하는 O2O과일 전자상거래업체이다.

빙고박스는 자체 개발한 솔루션으로 중국 주요 도시에 무인서비스를 제공하고 있다. 'Fan AI'라는 무인편의점용 AI솔루션을 발표하였다. 솔루션은 이미지인식, 얼굴인식, 머신러닝을 지원하는 스마트선반(smart goods shelving) 및 체크아웃 결제(Check0out payment)시스템으로 구성되었다. 상품 도난 방지, 상품 인식 등과 관련된 16개의 특허가 탑재돼있다.

빙고박스는 작은 매장의 경우 설치와 이동이 용이한 컨테이너 구조로 운영이 가능하며 24시간 영업할 수 있어 운영비는 매월 약 2500위안으로 기존 편의점 대비 20%수준이다. 일반 편의점은 직원 세 명의 인건비와 임대료 등을 포함하면 매달 약 1만 5000위안이 필요하다. 또한 일반 편의점을 열기 위해 드는 비용은 약 40만 위안에 달하지만, 빙고박스 하나의 제작비용은 10만 위안에 불과하다. 매출이 예상보다 적을 경우 이동비용이 약 2000위안이기 때문에 이동 부담도 덜하다. 이러한 비용을 줄일 수 있어 상품 가격을 크게 낮출 수 있어 가격경쟁력도 우수하다.[71)]

QR코드를 스캔해야 출입이 가능하며, 내부시설은 보통 편의점과 크게 다를 바 없다. 상품을 고른 후 카운터에 있는 상품 인식대에 놓으면, 상품에 부착된 전자태그(RFID)를 인식해서 모니터가 구입 목록과 가격을 보여준다. 그리고 빙고박스 앱이나 알리페이, 위챗페이 같은 모바일 결제서비스를 이용해서 결제를 마치면 자동으로 문이 열린다. (①QR코드로 인식해 진입, ②구매할 상품을 계산대에 두면 중복 상품 여부 자동검색 실행, ③즈푸바오 결제, ④결제가 끝나면 자동으로 문이 열린다.)

펑파이 보도에 따르면, 현지 소비자들의 반응은 대체로 긍정적이다. 대부분의 소비자들이 관심을 보이며 빙고박스를 방문하고 있다. 재구매율도 80%에 달할 정도로 높은 관심과 이용을 보이고 있다. 모바일 결제에 익숙하지 않은 일부 소비자들을 제외하고는 별다른 어려움 없이 무인 편의점을 이용하고 있는 것으로 드러났다.

71) 무인화 시대, 모바일 플랫폼 역할 확대, 삼성증권, 2019.10.11

[그림 102] 빙고박스 계산대

다) **징둥닷컴**

[그림 103] 징둥닷컴

알리바바에 이은 중국 2위 전자상거래 업체 징둥닷컴(JD.com)이 유럽 최초로 로봇으로 운영되는 무인 매장을 통해 아마존에 도전장을 던졌다. 외신의 보도를 종합하면 징둥닷컴은 네덜란드 레이든과 로테르담에 유럽 최초의 무인 매장 두곳을 열었다. 브랜드 이름은 '오차마(Ochama)'로 징둥닷컴의 첫 유럽 진출이다.

[그림 104] 징둥닷컴 오차마 매장

장둥닷컴은 쇼핑객들이 '오차마' 애플리케이션으로 상품을 주문하면, 매장에 배치된 로봇이 선별과 포장, 배달 작업을 마치고 고객에게 상품을 전달한다고 설명했다.[72)]

72) 아마존에 도전장 낸 中 징둥닷컴...유럽 최초 '로봇 운영 매장' 개설, 조선비즈, 2022.01.11

VI. 특허정보

VI. 특허정보

특허정보는 등록된 특허만 소개하도록 한다.

등록번호	발명의 명칭	최종권리자	공고 일자
1022741070000	무인 키오스크 플랫폼과 이를 이용한 드라이브 스루 주문 방법	파킹클라우드 주식회사	2021.07.08
1022494890000	다중 포스 연동을 위한 무인 주문 서비스 지원 장치	티오더 주식회사	2021.05.07
1022498170000	24시 무인 안경점 서비스 시스템 및 방법	주식회사 아이블랭크	2021.05.07
1022570000000	무인공간 운영시스템 및 무인공간 운영방법	(주) 진코퍼레이션	2021.05.27
1022849880000	무인 점포에서의 결제 방법 및 이에 대한 시스템	주식회사 스마트로	2021.08.03
1022252430000	건설현장 무인관리시스템 및 무인관리방법	경북대학교 산학협력단	2021.03.12
1022588100000	성인인증이 필요한 제품판매용 무인 판매시스템	하나시스 주식회사	2021.06.02
1022685130000	셀프장비 무인 결제 방법	(주) 코리아런드리	2021.06.24
1023295440000	무인 스터디 카페 고객 지원 시스템의 제어 방법	주식회사 비온탑	2021.12.27
1022830520000	무인 카페 운영 시스템 및 방법	비전세미콘 주식회사	2021.07.29
1022596370000	무인 방송을 위한 인공지능 기반 방송 송출 시스템	(주)와이즈콘	2021.06.02
1023239170000	영상 감시 장치를 이용한 무인 주차 관리 시스템 및 그 방법	주식회사 세연테크	2021.11.09
1023461660000	매대 감지 및 무인결제 서비스 제공 방법 및 장치	(주)트리플렛	2022.01.04
1023352490000	무인 음료 제조시스템의 음료 배출장치	(주)플레토로보틱스	2021.12.06
1022568960000	무인 스마트 파킹 시스템	더함비즈 주식회사	2021.05.27

등록번호	발명의 명칭	최종권리자	공고 일자
1023271740000	무인주차 관제 시스템	한양공영(주)	2021.11.16
1022864750000	무인운전 열차 위치 복구방법	현대로템 주식회사	2021.08.06
1022345550000	무인 매장 운영을 위한 방범 및 보안 관리 방법, 장치 및 시스템	주식회사 만랩	2021.03.31
1022214460000	클라우드를 이용한 무인 주차 관제 방법 및 시스템	주식회사 비엔인더스트리	2021.03.02
1022970490000	지급 결제 서비스와 연동된 무인 환전 장치	주식회사 머니박스	2021.09.02
1022233930000	스마트 위치조정 주차요금 무인정산 시스템	주식회사 대영아이오티	2021.03.08
1023403840000	무인 배송 운영 방법 및 장치	한국 전자통신연구원	2021.12.16
1023386890000	무인 냉장고 매장을 운영하는 방법 및 장치	주식회사 아빠컴퍼니	2021.12.13
1023386180000	휴먼 에이전트에 의하여 보조 되는 무인 대화 서비스 제공 방법	삼성에스디에스 주식회사	2021.12.10
1023339480000	중고 전자기기의 가치 분석, 데이터 삭제, 결제, 수납 및 보관 기능을 갖는 무인 지능형 중고 전자기기 매입 시스템 및 그 운영 방법	민팃(주)	2021.12.03
1023348060000	공동주택 건축물의 무인화재 감시시스템	동양컨설턴트 주식회사	2021.12.06
1023285060000	무인 공공정보 수집 시스템 및 방법	주식회사 유오케이	2021.11.19
1023228950000	치킨 무인 조리시스템의 냉장보관장치	엠투테크 주식회사	2021.11.05
1023244550000	무인 매장 원격 관리 시스템 및 방법	(주) 오래	2021.11.12
1023189170000	무인 택배함 및 이를 이용한 택배물품 배송 시스템	주식회사 스마트큐브	2021.10.28

Ⅶ. 결론

VII. 결론

4차 산업혁명 시대가 도래하면서 첨단기술을 활용한 무인시스템이 화두에 오르고 있다. 기계가 사람을 대체하면서 사람이 필요 없는 시스템이 가능해진 것이다. 특히 최근 코로나19로 인해 비대면이 큰 트렌드로 떠올랐으며, 국내에서는 최저임금으로 인건비가 상승하면서 그에 따른 대안으로 무인화가 점차 확대될 전망이다.

무인편의점의 출현은 유통업계에 새로운 활력을 불어넣으며 빠른 속도로 사람을 대체하고 있다. 소비자는 '걸어다니는 ID'로 변화했고, 상품의 주문, 결재는 모두 디지털화되고 있다. 앞으로 무인화는 정보화 및 표준화를 갖춘 서비스업 형태로 더 진화하고 공유서비스의 다양한 분야에 지능화가 이루어질 것으로 예상된다.

키오스크와 함께 스마트오더도 무인화를 촉진시키는 요소로 작용하고 있다. 스마트 오더는 오프라인 결제 프로세스를 온라인으로 대체하면서 간편 결제 시장을 비약적으로 증가시킬 전망이며, 앱을 통해 인증을 거치기 때문에 고객별로 구매 기록 또한 관리할 수 있다. 따라서 이를 이용하여 이용자별 타켓팅된 마케팅이 가능해진다. 중국의 무인점포 실패 사례와 아마존고의 성공사례를 통해 우리는 무인 점포의 성공에 "데이터"의 중요함이 크다는 것을 이미 살펴보았는데, 스마트 오더를 사용하여 많은 데이터를 확보할 수 있으므로 이를 활용할 수 있을 것으로 전망된다.

하지만, 이처럼 인류에게 편리함을 가져다주는 무인시스템 확산이 서비스 직군의 고용창출에 역행한다는 우려도 적지 않다. 한 예시로 키오스크 1대가 직원 1.5명의 역할을 대신할 수 있다. 따라서 이러한 변화에 대비할 수 있는 일자리 확충과 사회 안전망 구축에 대한 고민을 통해 안전장치를 마련해야 할 것이다. 또한 현재 무인시스템에 도입되는 기술 발전 수준은 아직 초기 단계에 불과하다. 일반 편의점이 무인편의점으로 완전히 대체되기까지 아직 부족한 점이 많기 때문에 정부차원에서의 지원이 필요할 것으로 보인다. 게다가 현재 한국은 고령화사회로 빠르게 진입하고 있는데 이는 결국 기계 취약계층이 빠르게 증가하고 있다는 것을 의미한다. 따라서 무인시스템이 사회 전반에 걸쳐 설치되는 경우 이러한 기계 취약계층을 위한 장치도 마련되어야 할 것이다.

<참고문헌>

[1] 무인화 시대, 모바일 플랫폼 역할 확대, 삼성증권, 2019.10.11
[2] 엘리비젼(276240), 하이투자증권, 2021.06.10
[3] 생체인식 기술 및 시장동향, 연구성과실용화진흥원, 2016.02
[4] 생체인식, IR협의회, 2021.07.29
[5] 탈중앙화 신원증명(DID), 데이터의 주권은 '개인'에게 있다!, 코스콤리포트
[6] 엘리비젼(276240), 하이투자증권, 2021.06.10
[7] 통계청 경제활동인구 조사(2021)
[8] 한국정보화진흥원, '2021 디지털 정보격차 실태조사'
[9] 금융안정보고서, 한국은행, 2020.12
[10] 드론 서비스 시장, 연구개발특구진흥재단, 2019.12
[11] 세계의 자율주행차 시장 전망, 연구개발특구진흥재단, 2018.11
[12] 스마트카, 한국 IR협의회, 2020.07.02
[13] 중소기업 전략기술로드맵 2021-2023 스마트시티, 중소벤처기업부
[14] 사이버 보안 시장, 연구개발특구진흥재단, 2018.12
[15] 클라우드 보안 시장, 연구개발특구진흥재단, 2021.04
[16] 대화형 키오스크 시장, 연구개발특구진흥재단, 2021.03
[17] 생체인식 시스템 시장, 연구개발특구진흥재단, 2021.04

초판 1쇄 인쇄 2018년 3월 11일
초판 1쇄 발행 2018년 3월 12일
개정판 발행 2019년 7월 10일
개정2판 발행 2020년 10월 26일
개정3판 발행 2022년 5월 23일

편저 ㈜비피제이기술거래
펴낸곳 비티타임즈
발행자번호 959406
주소 전북 전주시 서신동 832번지 4층
대표전화 063 277 3557
팩스 063 277 3558
이메일 bpj3558@naver.com
ISBN 979-11-6345-352-9(13560)
가격 66,000원

이 도서의 국립중앙도서관 출판예정도서목록(CIP)은 서지정보유통지원시스템 홈페이지 (http://seoji.nl.go.kr) 와 국가자료공동목록시스템 (http://www.nl.go.kr/kolisnet)에서 이용하실 수 있습니다.